U0031645

創作的基因

KOJIMA HIDEO

小島秀夫

創作する遺伝子
僕が愛したＭＥＭＥたち

李欣怡——譯

目次

前言　MEME 帶來的種種　005

第一章　我愛過的那些 MEME　017

第二章　某天，在某處，喜歡上的事物　193

後記　從 MEME 到連結之繩（Strand）　295

對談　什麼是連結？　307

編輯體例說明：本書中提及之作品，曾於臺灣發行出版者，採臺灣版譯名，與繁中版之譯者姓名，不另行加注原文書名。未曾於臺灣發行出版者，採暫譯譯名與日文版譯者姓名，並加注原文書名。

前言　MEME帶來的種種

「我無法想像沒有書的世界。」

本書的原始版本是《我愛的那些MEME》（僕が愛したＭＥＭＥたち），當時我在書的開頭寫下這句話。即使現在經過了六年，這一點依舊不變。

不過，我和我所處環境卻有了很大的變化。

我在二〇一四年三月發表了《潛龍諜影 V原爆點》，二〇一五年九月發表了《潛龍諜影 V幻痛》，同年十二月獨立，成立小島製作。

有些瞬間，我會想離開遊戲創作，暫時過過拍電影和寫作的日子，不過想回應世界各地夥伴及粉絲的心情更勝一籌，因此選擇繼續從事遊戲創作。

我租下不到六個榻榻米大的小辦公室，為了找人和找遊戲製作的工具及引擎，在短時間內真的飛遍全世界。員工增多後，需要新辦公室，我又為此踏遍東京都內。當然，新作品的開發也同時並行。當時時間再多也不夠用，不過，還是有件事我每天一定會做。

那就是跑書店。

跑書店、親手翻翻書、喜歡的就買，然後沉浸在書裡。出差時也是，包包裡沒放幾本書總覺得不對勁，這是我至今不變的習慣，一種習性。

身為鑰匙兒，小時候回到家把燈打開是我的工作。我每天都獨自在家翻書，雖然孤單寂寞，但之所以沒有被擊潰，都要感謝書。

或許一方面也由於父親早逝，在我周遭的大人，並沒有可以當作目標的了不起人物。不過，我在書本中找到了引領我人生的大人或師長。

讀書或看電影雖然是種模擬，但也是不容小覷的「體驗」。當然，實際踏上旅程、直接感覺一塊土地的空氣一定會更好。聽人分享登山故事，絕對不如親自登山。不過，事必躬親總有限度，所以意義在於藉由書籍或電影來模擬、共享他人的體驗或感受。

我們既能藉此體驗無法造訪的過去、未來或遙遠的世界，也能變身為不同的民族或性別。閱讀雖然是自己一人從事的活動，但我們可以跟許多素昧平生的人共享書中世界展開的故事。

孤獨，卻擁有連結。

這種感受，從童年到現在，一直支撐著我。

所以我想藉由此書，讓別人知道書帶來那種「擁有連結」的感受。

而扮演這些連結媒介的，就是MEME[1]。應該許多人都知道，這是演化生物學家理查・道金斯提倡的概念，不同於生物學基因（GENE），MEME意指將文化、習慣、價值觀等不斷傳承下去的資訊。故事可說是MEME形態之一，文化在訴說、閱讀當中得以傳承下去。

正如遺傳資訊（GENE）能透過人與人的連結傳承，MEME也能透過人與書籍、電影的連結流傳下去。

世界上有無數的書籍、電影及音樂，要全部體驗是不可能的，因此，在我人生當中，有生之年能邂逅什麼，具有重大意義。

邂逅既偶然又命定。我們不知道在哪裡會有邂逅、會遇上什麼、又會因何種

---

1 現今MEME常見的使用語境，是網路迷因（internet meme），但原始意義如本文後述，是可由模仿而傳遞、轉移給他人的文化記憶。本書文中之MEME，均採此原意。——編注

緣分而相遇，所以我不會漠然等待，而是希望憑自己的意志行動，珍視有所選擇下的邂逅，這跟人的邂逅是一樣的。

所以我每天都會去書店。

為了創造邂逅，每天造訪。

每天我都會跟各式各樣的書擦身而過：覺得讓我在意的書、抓著我傾訴主張的書、不會讓我停步翻閱的書……我跟它們之間，各有不同的緣分。在一一確認的過程中，漸漸我就能找到對自己而言有意義的邂逅，並磨練出自己的感性。

書籍也好、電影也好、音樂也罷，只要出自人創作之手，就不可能全都「中獎」。應該說，九成都會是「銘謝惠顧」。不過，剩下的一成當中，會有非常了不得的作品存在。我無時無刻不留心，希望在自己的創作生涯中，能持續創作出屬於那一成的作品。

也因此，我需要隨時處於鍛鍊自己感官的狀態，好抽中其他人創作的那一成中獎作品。話雖如此，我也並沒有做什麼特別的事。去書店，買下覺得有緣的書，然後閱讀。即使遇到銘謝惠顧的書也不必失望，那是中獎訓練的一部分，所以閱讀這些書並不算浪費時間，而是帶來下一個邂逅的重要時光。

我書庫裡絕大部分的書，都夾著購買時的收據，一方面也是為了不忘記那些時間。回顧印有書店名稱、日期時間的收據，不只書的內容，從出門買書到閱畢時的餘韻，加上其前後的整段時光、購買的書店、還有閱讀的場所，種種記憶也會一併甦醒。

不管是怎樣的書、即使內容無趣，與它共度的記憶只屬於自己，對自己而言是特別的故事。

然後，為了尋求新邂逅，尋求那一成的「中獎」，再次前往書店。

每天都去，不知不覺中在那間書店的巡邏路線會固定下來。進行定點觀測的效率是不錯，但同時，去書店的魅力及意義會減弱，因為路線一固定，就不會看其他東西了。所以，去不熟或沒去過的書店，雖然思路會被打亂、猶豫迷惘，卻會產生有趣的體驗。即使進貨和上架的書跟常去的書店一樣，只要店的規模、立地以及書的陳列方式不同，同一本書也可能顯現出不同面貌。

這個概念有點像是同一句話會因為使用語境或場景不同，產生不同的意義。又像是同一個人，出現在不同人際關係中，就會發現他散發不同的魅力。

所以這句話我一說再說：我就是無法停止每天造訪書店。

書店是最新資訊匯集之處，現在依舊如此，過去網路或社群媒體出現之前更是如此。只要在店裡繞一圈，就可以大致掌握現在世界上流行的事物。書店現今仍然是世間的縮影。

比方說，即使對NHK晨間劇沒興趣，如果看到一排好幾種相關書籍，就可以想像「啊，原來收視率不錯」；不認識的演員，如果寫真集出現在平台陳列中，就知道這位現在當紅。運動、實用書、經濟商務書籍還有漫畫，整個巡一次，就能俯瞰世界大致的樣貌。

大概有人會說，這種程度的資訊，網路上也找得到，但並非如此。網路資訊是經過過濾的，而且大家只會看自己有興趣和喜歡的事物。在書店，不感興趣領域的資訊也會一併映入眼簾。書店裡存在網路沒有的脈絡。當然，對熟習網路的世代而言，網路應該也有網路獨特的脈絡，迸出屬於網路的邂逅，我並不打算予以否定，不過我自己還是想執著於書店與書。

我就是想造訪書店，可以用手碰觸裡面陳列的書，踱步穿梭於店內，親眼眺望放在平台或書架上的書，拿在手裡、帶去結帳，請店員把收據夾進書裡，然後細細閱讀。

這種執著，並不是來自像我這種舊世代的懷舊之情。選書、選電影，有一種普遍性，和選人是相通的。

想從書店龐大驚人數量的書中，搜出那一成的「中獎」，前述那種每天的鍛鍊及訓練是不可或缺的。你無法在店頭靠輸入「新刊 小說 中獎」這些關鍵字來搜尋，而且尋找的時間和線索也有限。

看封面、閱讀書腰文案及推薦文、封底的大綱、後記、導讀等，以及快速翻閱內文——我們必須以這些線索為基礎，用自己的感性與價值觀來判斷它是否能中獎。

這跟我們要判斷一起工作的人、企劃、專案、各種提案等，都是一樣的。這些全都如同未讀完的書，我們必須在閱讀之前做出判斷。

如果是書，下場可能不過是覺得無趣罷了，如果事關工作或專案，甚至有可能發生牽連甚廣的大慘劇。出門旅遊也是，在書中體驗也就算了，現實中的旅遊，有什麼閃失，搞不好攸關性命。

那麼，我們是否會因此被批判，閱讀只是模擬體驗，不會受傷害，所以不如實際體驗呢？並不會。因為這是一種藉由接觸書籍和電影等 MEME，來獲得步入現實所需的知識和智慧的真切體驗。

而每天選書的行為，則會回饋到現實中。

我很感激，世人把我的作品評價為有創意、有獨特觀點，這應該都源於我平時會逛書店挑選書籍的緣故。憑自己的眼光與感性選出「中獎」的書籍，我想正是這種訓練，塑造出屬於我個人的價值觀，進而開花結果，化為有創意的作品。

當然，我們也需要在他人意見或介紹之下接觸書或電影，不過，我認為在翻開書頁的瞬間，必須以自己的眼光與價值觀來進入作品的世界。

就算別人讚賞的作品我們覺得沒意思，也完全沒問題，因為那是靠你的價值觀來判斷的。因為有人讚賞所以覺得有趣，就好像只是在推特上轉推別人的意見而已，「你」並不存在其中。不必在意錯誤或是意見不合，用自己的眼睛和頭腦找出中獎作品，帶來的結果不知道會有多麼美好。我的中獎和你的中獎或許不同，這樣就好。

或許就是想傳達這一點，我才會創作作品、寫文章、寫電影或書籍的推薦文。

收在這本書裡的文章，不過占我運用自己雙腳、眼睛和頭腦選出的書籍和電影的極少一部分。就是這個陣容，不，這個脈絡，創造了小島秀夫這個人以及作品。它們傳給我的 MEME，供給我創作以及延續生命的能量。

從本書原版問世至今，即使經歷這段歲月，每部作品魅力依舊，因此，我想用這部文庫版，再一次將這些 MEME 親手交給「你」，願這些 MEME 連結你我。

第一章

我愛過的那些MEME

初刊於《達文西》（Media Factory 刊行）
二〇一〇年八月號～二〇一三年一月號

「未知故事」的總稱，那就是「我們的科幻」

《星辰的繼承者》詹姆斯．P．霍根／著，歸也光／中譯

我們的科幻回來了。一九七〇～八〇年代，科幻超越了單純的娛樂，它是警鐘、是恐怖、也是希望。在我們完全沉浸於奇幻世界後，《二〇〇九月球漫遊》提醒了我們科幻原本真正的妙趣。不僅將科幻的魅力發揮到十二分，還抒情論述哲學、並諷刺現代社會。它正是「我們的科幻」。

以上摘錄自我對二〇一〇年春季上映的電影《二〇〇九月球漫遊》的評論。寫完後，我被強烈的既視感驅使，從書庫中抽出一本小說，那就是詹姆斯．P．霍根的《星辰的繼承者》。

我是在小學五年級時開啟閱讀之門，讀遍了全世界的推理小說。小學畢業的同時，也不再讀推理小說，之後到進大學之前則以科幻為伴。在這期間，幾乎沒

有閱讀科幻小說以外讀物的記憶，即使如此，也從未出現營養不良的情況。

我想這起因於一九七〇年代的科幻小說廣納百川。名為科幻的餐桌上，擺滿了各色各樣的食材，挑戰了各色各樣的烹調法，廚師也形形色色。從以撒・艾西莫夫、亞瑟・克拉克、羅伯特・A・海萊因三位大師、到馮內果、喬治・歐威爾、甚至安部公房，我品嚐的科幻，盡是原創料理，而廚師全為活躍於相當多元類別的作家。空想科學小說、幻想小說、後設小說等，全部包含在「未知故事」之內，曾經，這一切的總稱就是「我們的科幻」。

不過，自從《星際大戰》大賣座，八〇年代之後，科幻不知不覺間在商業主義拉扯之下形同空殼。到最後，隨處可見食材或烹調方式了無新意的太空歌劇或奇幻作品，我們的科幻不久面臨衰退，不知不覺間，我也完全不讀科幻了。在這種情況下，某天《星辰的繼承者》在書店偶然映入我眼簾，我抱著忐忑的心情咀嚼細讀，不久，觸及那令人懷念的感覺。我就這樣和「我們的科幻」重逢了。

《星辰的繼承者》不僅是一部對未來抱持積極態度的優質科幻作品，它超脫了犯人是誰（whodunit）、如何犯案（howdunit）、為何犯案（whydunit）的範圍，以「為何這裡有屍體？」為題材，是一部全新的正統推理小說。而書中一場針對人類起源的科學激辯，場景的張力無疑凌駕於法律驚悚小說之上。

在月球表面，躺著一具身穿深紅太空裝的遺體。面對遺體照片，原子物理學家杭特博士聽到如下說明：

「這就是那具屍體。在你發問之前，容我先答覆幾個預期一定會浮現的疑問吧。第一，答案是不，屍體身分不明。所以，我暫且稱此人物為查理。第二，這題的答案也是不，他的死因是什麼，我們無法提出任何明確的陳述。第三，還是不，他從何而來，我們並不知道。」

「就我們目前得知的少數資訊，可以斷定幾點。第一，查理並不是迄今已建立的任何一座基地的人。不……應該說（略）他也不是我們目前所知世界上任何一個國家的人。不僅如此，我們無法斷言查理確實是地球的居民！」

「姑且不論他是誰……查理死於至少五萬年前！」*

怎麼樣？有任何小說擁有如此引人入勝的開頭和異想天開的劇情嗎？這已經超越了硬科幻的境界，是一群科學家嘗試破解五萬年不在場證明的壯觀探索故

* Hogan, James P. *Inherit the Stars*. Ballantine Books, 1977. E-book.

事，還帶來知性上的興奮與解謎的情感宣洩。尋遍整個懸疑小說界也找不到如此絕妙的推理小說。它展現了有如脫韁野馬的發展與挑戰，完全不受限於此文類！

這才是我小時候熟悉的驚異感，才是「我們的科幻」。

遺憾的是二〇一〇年七月霍根化作天際星辰。《星辰的繼承者》是他的出道作，同時也將會永遠是代表作吧。不過令人訝異的是，正如書名，一度出現斷層的 MEME 逐漸在新時代扎根。現在，科幻小說逐漸再度受到矚目。幾位應該受過霍根影響的年輕作家（伊藤計劃及冲方丁等），被稱為「二〇〇〇年代科幻」，他們帶動了全新熱潮，足以證明一切並非過去科幻的死灰復燃。

《星辰的繼承者》作品中的「繼承者」真面目，屢屢引發爭議，而答案完全託付於我們這些讀者。其實《星辰的繼承者》，後續共寫了四部續集，這些續集都是完成全貌所需的拼圖。不過，霍根設下的這個謎題，在月球表面、木星、木衛三（甘尼米德）和冥王星都找不到答案。因為答案存在繼承了霍根 MEME 的「我們的世代」中。也應該只有能出示這個答案的人，才能成為星辰的繼承者。而答案揭曉時，他在三十多年前開始動筆的這個「巨人系列」，無疑才會終結。

（二〇一一年一月）

《星辰的繼承者》

詹姆斯．P．霍根（James P. Hogan）／著，歸也光／中譯，獨步文化出版

史上最強硬科幻
兼具正統推理小說與法律驚悚小說魅力之傑作

月球表面上出現一具屍體。為追求真相，一群科學家集結而來。他們需要解開屍體之謎，但同時這也成為一趟追溯人類起源的知識之旅。劇情發展兼具硬科幻的豐富科學知識與正統推理小說的興奮，以及讓人聯想到法律驚悚小說的緊張感。

只要支持者熱切企盼，故事就不能結束

《黑暗，帶我走》丹尼斯．勒翰／著，任慧／中譯

「我認為，系列作品要出幾集，是有適合的數量的。比方說，大家應該沒聽過『那部系列作裡，第十五集最棒！』這種話吧？任何系列都有該終結的時候。」

這是完成「派崔克／安琪系列」第五部後，作者丹尼斯．勒翰本人在採訪中提到的話。

「我雖然不認為『派崔克／安琪系列』已到該結束的時候，但覺得是該休息一陣子了。我打算寫完《神祕河流》及另一部非系列作品後，再繼續寫派崔克與安琪的故事。」

作者這番充滿愛的言論，讓包括我在內的一群狂熱書迷感動落淚。因此。我們可以耐心等候，相信他的承諾，一邊讀著他的非系列作品，一邊忠實等待和派崔克與安琪重逢之日。

十年過去了，在這段期間，勒翰成功地讓拍成電影的《神祕河流》和《隔離島》紅遍全世界。完成名為《命運之日》（*The Given Day*）的歷史小說及短篇集之後，到了去年，他發表了系列作品的第六部《一月光哩的距離》。不過，這部新作品卻違背了書迷的預期，它並非復活之作，而是一部完結作品。

翻過最後的書頁，我心懷深切謝意，對著派崔克、安琪與巴巴說聲：「辛苦了！」然後闔上書。不過我的心情無法就此罷休，我戀戀不捨，又按著出版順序把全系列的書抽出來重讀，讓時光倒流，拒絕與他們道別。

「不過，我並不覺得最後一集主角們非死不可。他們只是離去而已。」

這個約定實現了，他們沒有死。不過，他們也沒有離去。他們在此時此刻，依舊佇留我心。

去年我也告別了另一部同樣有特別情感的系列作品。不管是格雷・盧卡（Greg Rucka）的保鑣阿提克斯系列（Atticus Kodiak）完結時，或是長壽作品史賓瑟系列的作者羅勃・布朗・派克過世時，我都沒有如此茫然失措。作者也好，筆下人物也好，如果還在這個世界上，至少還想再見一面。希望他們的故事盡可能繼續下去，愛好者的心態就是如此。

總之，希望大家讀讀看這部系列作品，讀一讀上演於波士頓多徹斯特的血腥暴力故事，體會在絕望苦痛中交織的悽楚宿命。無窮盡貧困中蔓延的毒品、酒精中毒、搶劫、殺人、家暴。在這裡堪稱成功的人不是幫派成員就是腐敗警官。身處這個沒有未來的黑暗世界，他們依舊痛苦掙扎、試圖活下去。只要閱讀勒翰的「文學」，就會領悟這個系列不單純是偵探小說，而是在描繪所謂「故事」這種事物的核心。

派崔克與安琪全系列有六冊：《戰前酒》、《黑暗，帶我走》、《聖潔之罪》、《再見寶貝，再見》（班・艾佛列克曾把這部書拍成電影）、《雨的祈禱》，和最新的《一月光哩的距離》。不必全讀，如果一定要選一冊，我推薦第二部《黑暗，帶我走》。如此極致的冷硬派故事應該絕無僅有了，是十年也未必能出現一次的大作。我第一次讀完這本小說時，甚至想自己買下電影製作版權。的確沒有任何續篇能超越這部作品。角色、情節、伏筆、反派人物等，用罄了系列大半資產。簡直讓我懷疑，會不會這才是系列收尾的真正理由。《潛龍諜影》（*MGS*）這個長青系列明年（二〇一二年）居然也將邁入二十五週年。過去，我每次都對著媒體宣示「這是我創作的最後一款《潛龍諜影》」。這句話的意義跟一開始勒翰的發言幾乎同義。故事有結束的時候，作家亦然。作家會希望自己迎向終結前，先將故事劃下句點。

那又為何繼續創作同一系列呢？答案就在「派崔克／安琪系列」裡。只要支持者熱烈企盼，故事就不能結束。作家在試圖結束故事的同時，卻也不能背棄愛好者。作家或系列作品並非永恆，正因如此，終將深陷螺旋狀態。

我再次重讀《黑暗，帶我走》，從書中找到了一句話，堪稱是勒翰的忠告，而這句話也代表了我的心境。

「怎麼？你還想長生不死不成？」*

（二〇一一年九月）

* 丹尼斯・勒翰（Dennis Lehane）著，任慧譯。《黑暗，帶我走》（*Darkness, Take My Hand*）。臉譜出版，2007，頁28。

《黑暗，帶我走》

丹尼斯．勒翰／著，任慧／中譯，臉譜出版

描寫在無盡黑暗中奮力掙扎的人
「派崔克／安琪系列」中最佳傑作

男女偵探搭檔派崔克和安琪，在充斥暴力與犯罪的波士頓多徹斯特出生、長大。這次的委託人是一位精神科女醫師，受到黑手黨威脅，要奪取她兒子的性命。兩人出動試圖解決問題，卻挖掘出這個街區與居民隱瞞已久的過去與仇恨。充滿震懾人心緊張感的新冷硬[1]作品。

對我的創作活動影響深遠的任性母貓「珍妮」

《珍妮》（Jennie）保羅．葛立軻／著，古澤安二郎／日譯

一直到上高中為止，我都搞不清狗貓有什麼不同，因為出生以來既沒養過狗也沒養過貓。並不是沒興趣，而是因為我母親患有氣喘。

後來，有一隻特別的貓，讓我明白了狗與貓的不同，牠就是出現在保羅．葛立軻一九五〇年出版的小說《珍妮》中的母貓，有著頗具東方氣息的雙眼和雪白的胸頸。新潮文庫的譯本出版於一九七九年，當時正值我讀高一的夏天。我並沒有特別喜歡貓，也不知道為什麼會把書抽出來看，或許是《珍妮》這個書名讓我聯想到當時酷愛的電視影集《玄機妙算》（The Bionic Woman）[2]吧。

---

1 日本偵探小說評論家小鷹信光的分類，原文為「ネオ・ハードボイルド」。相對於冷硬派主角鋼鐵般的意志，新冷硬派主角則為受過創傷、重視對社會反思與自省的人。——譯注

2 女主角的名字是珍美．索莫斯（Jaime Sommers）。——譯注

本書主角是住在倫敦的八歲少年彼得，他非常愛貓。因為祖母討厭貓，所以沒辦法自己養。有一天，彼得發生車禍，醒來後發現自己變成一隻白貓。他突然被丟進貓世界中，在極度飢餓絕望中遇到救星——醜陋的母貓珍妮．鮑德霖。珍妮即使遭人背叛、瘦骨嶙峋、憔悴不堪，依舊選擇繼續當野貓。少年從珍妮身上學會了浪跡天涯的貓所需的一切求生技能，包括如何走在路上、如何喝牛奶、如何捕鼠、如何籠絡人心、如何偷渡、如何在半空中扭轉身軀、整毛的意義與訣竅、如何運用鬍鬚感測，以及打倒貓頭目的戰鬥技巧。在貓類社會完全是個新手的彼得（讀者），為了徹頭徹尾成為貓，會向母貓求教，一頁接一頁翻讀下去。

葛立軻不愧是愛貓作家。在閱讀的過程中，讀者會漸漸產生一種錯覺，彷彿自己變成一隻貓，能夠跟路邊的野貓交談。到了後半，完全貓化的讀者會對珍妮本身萌生特殊的情感，不在意對方是人還是動物。雖然牠不美、更不完美，卻相當自戀。不分男女，大家都會被珍妮這個任性又溫柔的存在所吸引，我也是其中之一。

現在大街小巷男女老幼都迷貓，書店有時候還設有貓書專區，似乎沼田真帆香留的《貓鳴》（猫鳴り）和羅伯特．A．海萊因的《夏之門》等是固定班底。

只是養在我書架上的貓書，每間書店都找不著，所以在睽違三十三年後，我決定從書架上把《珍妮》揪出來重讀，然後驚訝於《珍妮》不但影響了我的女性觀，其實也影響了我的創作活動。

《潛龍諜影3》中，名為THE BOSS的角色，將主角裸蛇（野狗）培育成一個戰士，隨後因「未來的生涯選擇當狗還是貓」，他們相互對峙，其實這份靈感來源應該是下意識取自《珍妮》。《MGS》系列，是一直豢養在組織中的一群公狗（軍犬）進行「弒親」的「父性」故事。THE BOSS（母貓）則是為了帶入「母性」與「野貓」視角而創造出來的角色。《MGS3》是從《珍妮》這個MEME誕生出來的。

珍妮不但是主角的情人，同時也是師父、競爭對手、夥伴以及共享祕密的知音。因此，這本書的故事並不只是描述微苦初戀與喪失的教訓，而是從母性視角，將「我們將如何交棒（MEME）給下一個世代」這個關乎本能的議題描繪成「眾生的故事」。

正如任何夢境終將結束，故事也一定有完結之時。在這本書中，主角也必須與母貓珍妮離別。如何理解MEME，取決於讀者如何解讀這最後一幕。

溫柔的珍妮，那位一起經歷種種冒險的夥伴，她已經不在了。（略）她的消失，換來的不是回憶、不是夢想、也不是幻想，而是兩種美好、寬慰的心境：我回家了、以及覺察自己是幸福的。*

很久很久以前，我在夢中遇到一隻貓。還是高中生的我，夢醒後原以為自己完全忘卻了這個夢境。不過重讀這本書之後，如今成人的我才體認到，我沒有一時半刻忘懷過這個夢境體驗。即使到了現在，《珍妮》這個 MEME 依舊住在我體內。所以，我一開始說自己沒養過貓，這句發言其實是錯的。我始終在內心養著一隻叫做珍妮的貓。

（二〇一二年十二月）

* Paul Gallico 著，古沢安二郎日譯。《ジェニィ》（*Jennie*）。新潮社出版，1979。

《珍妮》（Jennie）

保羅．葛立軻／著，古澤安二郎／日譯，新潮文庫

母貓珍妮教會我們，從「母性視角」描繪出「眾生的故事」

保羅．葛立軻的作品與小島製作人[3]產生意外的交集。母貓珍妮是導演的致命女郎（femme fatale），不過，並非讓男人走向毀滅的蛇蠍美女，而是有如智慧與藝術女神雅典娜般，影響了《MGS》系列創作活動的真命天女。變成貓的少年歷險記《珍妮》是讓他重新察覺故事本質的一部作品。

---

3 小島秀夫統括並主導旗下遊戲的各個層面，職務上視為總監，同時並實際參與遊戲開發的第一線工作。但本書延用中文遊戲界對他的慣稱「小島製作人」，在此「製作人」的意義與傳統媒體業之製作人不同。——編注

我最後一次提筆寫信，是什麼時候呢？

《錦繡》宮本輝／著，張秋明／中譯

最近，我家附近設了一個郵筒。我眼角餘光掃著郵筒佇立的姿態，拿出 iPhone 上網，打開 Twitter，發布推文。

「我每天早晚都會經過它前面，不過還沒看過任何人投函，我自己也沒用過。即使如此，它還是不眠不休，無論颱風下雨，總是繼續張開那類比式的嘴，佇立在原地，即使肚子應該相當餓了。這樣的紅郵筒，炫目得令人難以直視」

「我最後一次提筆寫信是什麼時候呢？」

在 Twitter 發文之後，我還是一邊掏著我家的信箱，一邊歪頭。電費、瓦斯費、水費、網路電話通信費的帳單、信用卡明細、汽車經銷商寄來的新車介紹、報紙。這就是我家信箱收到的全部郵件，最近連指名寄給我本人的文宣廣告都看不到了。

「我最後一次收到信是什麼時候呢？」

我又發了這樣的推文。其實本篇是《那些我愛過的 MEME》連載的第一篇稿子，而發推的這天正是本篇刊登在《達文西》的日子。我推特的跟隨者當中，或許會有人發現完全一樣的字句刊登在雜誌上。這是我把推文的數位資訊嵌入雜誌這個類比媒體的一個小小把戲。

上一個世紀末，手機普及，進入這個世紀後，溝通手段轉化為數位資訊。自然人聲轉為文字訊息、表情符號或影像。不論公司用、私用或公用，一切變得都能靠手機簡訊或電腦電子郵件解決。透過可稱為數位日記的 blog、mixi、Faceboook、Myspace、Twitter 等社群網站，大家的溝通往來非常活絡。

處於這樣的時代，有一部戀愛小說至今依舊不失光彩。

那是宮本輝的早期作品，發表於一九八二年的《錦繡》。

對於一味逃進非日常翻譯作品世界的我而言，宮本輝是我相當鍾愛的一位作家，他讓我有機會面對自己不誇飾也不自卑的真實樣貌。十幾歲青春期的時候，我讀遍了他的作品。其中我要介紹的《錦繡》是繼《春之夢》、《青春凋零》（青が散る）之後，名列我最愛的三部宮本輝作品之一。

《錦繡》是一本書信體小說，單純由大約十個月當中往來的十四封信構成。

在楓紅似火的藏王大理花園，分手的男女睽違十年後，於纜車中偶遇，故事就此展開。這象徵《錦繡》的序幕，色彩絢爛美麗。而這大理花園的楓紅，紡入褪色男女乘坐的纜車，成就一幅莊嚴的風景畫。正因四季更迭中，日本人又特別鍾情於紅葉，這如畫情景著實令人目眩神迷。此外，故事中頻繁出現莫札特第三十九號交響曲，或許因此，雖然是一本書信體小說，畫面與聲音卻能鮮活浮現。

重逢後，這對男女開始向彼此訴說過去未能傳達的交心對話。相隔一段時間才寄出的這些往來書信，有時是情書、有時是悔恨、是懺悔、是叱責。這些錯過與交疊，成為一種介質，這對未能合而為一的男女，彼此的過去與未來，點綴四季般，彷彿錦繡……彷彿刺上華美織錦刺繡的布緞般，錯綜纏繞。不久，也染紅了兩人的未來。美，卻也悽楚，著實為大人悲戀小說的傑作。

信件無法寄給複數對象，是單向進行的，而且一定會產生時間落差。你也無法指定對方在何種狀況下讀信。一旦離手，無法取消，也無法修正。寄信人與收信人無法共有相同的時間與環境。這是一種令人同情的媒體，孕育著錯過和誤解的可能性，這就是信。正因如此，在這個時代，我想再度推薦它。正因信只能單向通行，行筆的人與解讀的人才會朝彼此走近。因為通信自然會培養出體貼對方的能力、用心思考的能力。《錦繡》這部小說幫助我回想起這一點。

總之試著寫信吧。寫給最近不再講電話的親兄弟、很久沒見面的密友、頂多寄寄賀年卡的恩師、或是變得只在電子郵件裡或社群網站上對話的對象。

你可以不丟到郵筒裡、不必貼郵票、也不用給誰看。試著對一個人，寫一封沒有收信地址的信吧。或許在這當中，你會看見曾經遺忘的對方的樣子，同時也看見自己意外的面貌。

公共電話消失在街角風景中已久，看來，接下來輪到郵筒消失也只是時間早晚的問題吧。再這樣下去，那座紅色郵筒，可能會因長久空腹而餓死。多麼希望後人也繼續閱讀《錦繡》這樣的小說，讓那座紅色郵筒恢復生氣，看看城市被染成一片楓紅的光景。

（二〇一〇年八月）

《錦繡》

宮本輝／著，張秋明／中譯，青空文化

孕育錯過與誤解的悲哀媒介……這就是信

一件事故，瓦解了亞紀與靖明幸福的婚姻生活。分手十年後，他們偶然在被楓葉染成一片火紅的藏王重逢，從此兩人展開魚雁往返。一直以來，他們彼此內心傷口未能痊癒，在書信中訴盡這些傷的過程中，孤獨的靈魂逐漸得以淨化……。只有單向通行的書簡形式才能成就的戀愛小說珠玉之作。

自由會因想法及視角不同而變化

《沙丘之女》安部公房／著，吳季倫／中譯

今年五月，中美洲瓜地馬拉市內十字路口突然出現了巨大的孔洞，這個滲穴吞沒了十字路口及好幾棟建築物，專家推測「可能是地下水管破損造成地基鬆軟，加上熱帶風暴阿加莎肆虐，造成崩塌」，網路則大為騷動，說是「開啟了通往地獄之門」。

洞穴是一道通往異世界的門扉，空洞會讓人同時感受到對未知的敬畏、恐懼，以及淫穢的性興奮。

在故事中亦如此。用「掉進洞穴」作為開頭的情節，以《愛麗絲夢遊仙境》為首，可謂全世界無數故事一再使用的「故事原型」。

安部公房是影響我最深的作家之一。他擅長借用科幻、寓言手法及比喻，凸顯現代社會與人類心理。在他的代表作中，也出現了「掉進洞穴」的故事——《沙丘之女》。本書是我酷愛的小說之一，加上《他人的臉》（他人の顔）和

《箱男》，可以列入前三名。

故事敘述一位教師前往沙丘採集昆蟲，結果被困在沙洞中的一棟房子裡。這棟房子令人聯想到蟻穴，屋主只有一位妙齡寡婦。在全村參與的陰謀下，男人被迫接受剷沙的勞動和這個女人，他多方摸索逃脫之路。本書雖為寓言，同時也是交織寫實主義及情色的一部名著。即使暫且不論純文學的部分，以恐怖或懸疑小說的角度來看也值得推薦。相信讀後每個人都會發現自己沉浸在安部公房的創作才能之中。

村上龍曾在跟美國劇作家的對話中提到「所有故事創作都沿著一種情節發展：主角掉進洞裡，然後要不是從洞裡爬出來，要不就是死在洞裡」。好像是，的確大部分的故事似乎都符合。不過，奇才安部公房才不套公式。這部《沙丘之女》就提供了第三種情節：在洞裡度日。

就連《愛麗絲夢遊仙境》都是根據洞穴中的經驗描寫回到現實的成長小說。不過，《沙丘之女》不一樣。男人掉進洞穴，一開始雖然奮力試圖爬出洞，最後卻自己選擇留在洞裡。當獲得企盼已久的逃亡手段時，他領悟到留在洞裡的自由，而放走另一種自由。

這就是人生。這第三種選擇，不才是在社會、職場、家庭、戀愛中掌控日常的規範嗎？每個人都在不自覺中被吸引來到洞口、陷入其中、最後痛苦掙扎著試圖爬出，可是，就算爬出洞外，也改變不了任何事。外面的世界已經挖出新的洞，出去也只是掉進另外一個洞罷了。

人生中有許多「洞」。有別人設計的洞，也有自己選擇的洞。有的是陷阱，也有的是庇護所。活著就等於掉進洞裡，路走多了就會掉進洞裡。

既然如此，我們何不待在目前的洞裡，繼續最適合我們的生活呢？不是接受、不是逃避、也不是反抗，只是嘗試在這個洞裡尋找新的生存價值。從洞裡出來的自由、不從洞裡出來的自由，和因為留在洞裡而發現的自由。自由會因想法或角度而變化。《沙丘之女》這本小說（MEME）讓我學會「自由不是如同沙般流動，流動本身就是自由」。

（二〇一〇年九月）

《沙丘之女》

安部公房／著，吳季倫／中譯，聯經

或許安部公房是用「洞」來比喻掌控了社會日常的規範

赴沙丘採集昆蟲的男性教師聽從村落老人的建議，在寡婦家借宿。但是，天亮後，發現自己被關在這棟如同蟻穴般埋在沙穴底部的獨棟房屋裡。他試盡所有能想到的方式逃脫，可是……。紀實性手法及充滿懸疑的發展，赤裸揭露人類心理。

少年的成長，託付給了即將來臨的嚴苛季節

《初秋》（Early Autumn）羅勃．布朗．派克／著，菊池光／日譯

節氣屬於立秋（八月）的酷暑中，我和身高已經跟我差不多的兒子去看巨人對阪神之戰。我喝啤酒，兒子喝柳橙汁，我們邊喝邊享受久違的棒球賽。兒子是阪神球迷，比賽讓他很興奮，我對棒球沒興趣，趁觀賽問問兒子的近況。對我們而言，這就是「父子的傳接球」。

兒子還小的時候，我們常常兩個人一起出門。看看球賽、電影、音樂會、演唱會、美術館、參加活動，也去游泳、滑冰、慢跑、騎自行車、潛水。從當日往返到出遠門，不分國內外，總是我們兩個男子開展旅程。

到他進了中學，父子一起從事的活動突然就消失了。

他長大了，開始不是跟著父親，而是以學校的朋友或自己的世界觀為伴度日。一回神，「父子的傳接球」次數驚人銳減。我父親在我十三歲時過世，所以我沒有跟父親共度青春期的記憶。該如何面對「迎接春天的兒子」？跟他之間適

當的距離為何？我完全沒概念。糾結在這些情緒中，我無意間從書架抽出一本喜歡的書，開始重新翻閱，這本書就是「私家偵探史賓瑟」的《初秋》。史賓瑟系列是冷硬派作家羅勃．B．派克（驟逝於二〇一〇年一月，享壽七十七歲）創作的長青系列，主角史賓瑟受到全世界的喜愛。

派克也是研究雷蒙．錢德勒的學者。他寫下的史賓瑟系列被定位於錢德勒與羅斯．麥唐諾筆下冷硬小說的後繼之作，不過，並非僅僅是陶醉於海明威式男子漢氣概（machismo）的陽剛小說。

派克的文風單純而無贅詞贅句，在時尚、料理、運動方面知識相當廣博與專業，台詞則瀟灑睿智。環繞在史賓瑟身邊的固定班底——情人蘇珊及搭檔霍克也都品味出眾、充滿魅力。雖為冷硬派作品，卻又擁有只有派克才醞釀得出的文學性技巧。

《初秋》是系列的第七部作品，讀者不限於冷硬派書迷，由於是感人的父性故事，是一部持續獲得一般讀者熱愛的代表作。

十五歲的少年保羅，自小在雙親的忽視下成長。史賓瑟受到其母委託，要調查保羅的去向，並從綁架犯手中救回他。沒想到綁架犯竟是離婚的生父！隨著一步步迫近事件真相，史賓瑟不採依法處理，而選擇救助少年。為了讓這位沒人教他任何事的自閉少年自立，史賓瑟用盡全心全力教育保羅人的生存方式。跟史賓瑟共同生活之中，保羅漸漸敞開心房，終於找出一條自己想走的路。

結尾兩個男人間的對話實在美麗耀眼。

「看看你這個夏天做了什麼事吧。」
「可是，我沒能追上任何東西的腳步。」
「你有追上啊。」
「追上什麼？」
「人生。」*

保羅在一個夏天當中便如樹木開展枝葉般成長許多，他的臉閃耀著琥珀色的光輝。而《初秋》的結尾如下：

「進屋子吃飯吧。」

* Parker, Robert B. *Early Autumn*. Dell Publishing, 1987. 221.

「好。」

「冬天馬上就要來了。」*

他的成長就託付給即將來臨的嚴苛季節。

我不是史賓瑟，沒辦法教小孩木工、拳擊、烹飪，也沒辦法帶他們參觀暴力現場。誠如史賓瑟所言，人只能用自己的方式傳達自己所能、以及自己一路上看到的世界。即使如此，這樣的「傳接球」應該可以讓他們未來的選項變豐富。無論是怎樣的傳接球，投了一整個季節的自信，終會成就孩子們的目標。所謂的自立，就是靠自己一步步邁向明確的目標。

久違的球賽觀賞，阪神最終以一比九慘輸給巨人。從東京巨蛋回家的路上，十六歲的長子因為輸掉這場球賽而沉默寡言，輪到我自顧自講述自己近況。整路上我把內心囤積的話語毫無保留地說給他聽，那成了我們重要的傳接球。

殘暑酷熱的仲秋（九月），某天傍晚，我帶著剛滿四歲的次子第一次到公園玩球。這裡也有另一個季節。在這個漫長的夏天，我找到兩個「季節的開端」。

（二〇一〇年十一月）

* 出處同前。

《初秋》（*Early Autumn*）

羅勃．布朗．派克／著，菊池光／日譯，早川文庫

史賓瑟徹底教會少年生存於世的方法，結尾兩個男人的對話美麗眩目

保羅在十五歲之前，不曾從只顧自己的糟糕父母身上學到任何生活技能。他緊閉心門，對任何事都不顯興趣。強悍的私家偵探史賓瑟，跟保羅在湖畔共度一個夏天，開始訓練他成為一個能自立的男人……。這部傑作是描寫少年堅強成長的冷硬派故事，讓我們看見父親以及大人教育引導下一個世代的重要性。

就這樣，討厭書本的小島消失無蹤

《一個都不留》阿嘉莎．克莉絲蒂／著，王麗麗、劉萬永／中譯

Q「您從小就愛讀書嗎？」

A「沒有，我小時候很怕看書。」

十個小小戰士吃飯去，
一個嗆死剩九個。＊

Q「那您是什麼時候開始讀書的？」

A「小學五年級的時候。在那之前是個不讀書、沒嘗試就先排斥的小孩。」

九個小小戰士睡過頭，
一個不醒剩八個。＊

＊ 阿嘉莎．克莉絲蒂（Agatha Christie）著，王麗麗、劉萬永譯。《一個都不留：克莉絲蒂 120 誕辰紀念版》（*And Then There Were None*）。遠流出版，2010，頁 31-32。本節引文出處皆同。

Q「當時您一定是偶然讀到了很有趣的書吧？」
A「我只讀推理小說，都讀到天亮不睡覺。」

八個小小戰士遊德文[4]，
一個留住剩七個。*

Q「推理小說？是國內的作家嗎？」
A「不是，我讀的都是英國女作家阿嘉莎·克莉絲蒂的作品。」

七個小小戰士砍樹枝，
一個砍死剩六個。*

Q「最早誘發您讀書嗜好的作品是？」

4 德文（Devon）：位於英格蘭，是阿嘉莎·克莉絲蒂的家鄉。——譯注

A「點燃我對知識好奇心的是《東方快車謀殺案》。」

六個小小戰士玩蜂箱，
螫死一個剩五個。＊

Q「選這本書的理由是？」

A「當時這本書改拍成電影，原本我是懷著嘲諷的心態拿來看的，結果受到很大的衝擊。」

五個小小戰士打官司，
一進法院剩四個。＊

Q「然後就深陷其中了？」

A「升上中學前，我應該把能找到的作品幾乎都讀完了。」

四個小小戰士出海去，
燻青魚[5]吞剩三個。＊

Q「您原本不讀書，為何會如此沉迷於克莉絲蒂的小說呢？」
A「理由……我自己也不太記得了。」

三個小小戰士上動物園，
大熊抓去剩兩個。＊

Q「二〇一〇年是克莉絲蒂出生一二〇週年對吧？」
A「我逛書店的時候有看到紀念活動，所以又中了克莉絲蒂的『圈套』，現在重讀中。」

---

5 英文原文為 red herring（紅鯡魚），涵義為轉移議題焦點與注意力的技巧，在推理小說中通常代表誤導讀者思路的誘餌。——譯注

兩個小小戰士曬太陽，
曬焦一個剩一個。＊

Q「所以呢？謎底解開了嗎？關於你為什麼如此熱衷她作品的謎？」
A「解開了。重讀代表作之後，我的熱情又燃燒了起來。」

一個小小戰士太孤單，
吊死了自己，
一個都不留。＊

Q「那，有沒有可以推薦給沒讀過克莉絲蒂作品的讀者的書？」
A「嗯……《羅傑．艾克洛命案》的結局會讓人驚愕到無法呼吸……」
Q「如果只能選一本呢？」
A「好，我決定了。《一個都不留》。」

所有人都在密室中死光了的話，推理小說就理當無法成立了。不過這部開創新局的破天荒之作，了不起的地方在於其誤導讀者的巧妙圈套，直至今日還是讓人驚嘆「原來還有這種手法！」。

總而言之克莉絲蒂就是好讀易懂。她的作品不屬於必須深入研讀的那一類小說，而是近似猜謎或遊戲的感受。篇幅和資訊量也都極為適當。雖然相較之下出現的人物偏多，不過都很單純所以容易辨認。最重要的一點，即使題材是殺人，卻不令人讀完後心情消沉灰暗。當然，克莉絲蒂準備了充足的殺人動機，不過，那些恨意及憎惡卻不會綿延糾纏、揮之不去。不同於現代懸疑作品，它並不是「社會派故事」。重點止於解謎及圈套等，是一種鬥智遊戲。

而且如同動作片或拼圖遊戲，讀者會越讀越精，逐漸了解作家的習性、能夠預測後面的發展，而增強的功力，又能用下一部作品來驗證。話雖如此，也可能會在疏忽之下徹底輸給克莉絲蒂。持續跟她鬥智當中，讀者可能會擁有超越她筆下名偵探赫丘勒．白羅的灰色腦細胞，同時，也變成一個超群的愛書人。

Q「好像很有趣。可是這樣一來，到底是誰殺了那十個人呢？」

A「不對，被殺死的有十一個人。」
Q「嗯？可是受邀而來的不是十個人嗎？」
A「不，總共來了十一人。」
Q「這就怪了。遺體應該是十具，不是嗎？」
A「在《一個都不留》之後，其實還有一個人被殺死了。」
Q「誰？」
A「讀者。」
Q「什麼意思？」
A「最後還有一個受害者被克莉絲蒂女士迷死了，就是我。」
Q「哈哈。然後討厭書本的小島先生就消失無蹤，『一個都不留』了？」

（二〇一一年二月）

《一個都不留》

阿嘉莎．克莉絲蒂／著，王麗麗、劉萬永／中譯，遠流

詭譎莫測，犯人不在場的連續密室殺人？

十位男女受邀來到孤島，一個謎樣的聲音，揭露了過去犯下的罪行，主人始終沒有現身，而客人卻一個接一個依照童謠歌詞遭到殺害……。本書是探討正統推理作品要素「封閉空間」之謎的經典之作，其架構與心理描寫史上未見。本書日文版為二〇一〇年秋天發行的克莉絲蒂誕生一二〇週年新譯版。

李徵吐露的懦弱自尊心與自大羞恥心，在我心中和過去的自己交疊為一

〈山月記〉中島敦／著

我成了一頭虎。

這頭虎，倒不是「老虎！老虎！你應化作一頭老虎！」那部經典漫畫《虎面人》式的英雄。

我化作的，是〈山月記〉中的吃人虎。

我沾濕了毛皮，並非只是因為夜露。＊

這種令人嘆服的含蓄表現方式，衝擊之大，幾乎讓我足以否定自己過去的人生。這個句子出自中島敦的〈山月記〉，現在依舊收編於全國高中教科書中。

當時我是個未經世事的高中生，只讀外國的科幻和推理小說就心滿意足。在

＊ 中島敦著，陳冠貴譯。《[新譯]中島敦：命運的開端——收錄〈山月記〉、〈李陵〉等，面對不遇時的勇氣》。紅通通文化出版社出版，2018，頁41。

現代國語課堂遇上這個句子當下，我完全被震懾住了。

怎麼會有這麼美的經典台詞！我渾身發抖，並非出自嫉妒或其他情緒，純粹震懾於這句日文發散出的美感。之後，我在教室和家裡一有機會就朗讀這篇短文，把它從頭到尾背了起來。

多年來，我覺得一字不漏背下全篇〈山月記〉的，全世界也只有我了，並引以為傲，後來卻得知，以〈山月記〉為藍本，寫出續集《虎與月》的作家柳廣司在學生時期就背下全文，我記得他曾在受訪時提到這件事。

中島敦的〈山月記〉這部變身奇譚，改編自中國古典文學李景亮的《人虎傳》。

出聲朗讀這篇小說，就能聽出發音及節奏多麼獨樹一格。漢字原本為象形文字，據說，人在腦中解析漢字時，會用專司圖形的右腦進行處理。

因此〈山月記〉對腦部的刺激，跟日本文化獨特的漫畫及劇畫[6]是相同的。

6 漫畫的一種，主題及描繪手法都偏重寫實性、較適合成人閱讀。——譯注換句話說，漢字雖然是文字，卻有如穿插了圖像及聲音般，能促使左右腦均衡思考玩味。從漢文[7]變換而來，再與日文融合、加上中島敦出類拔萃的改編才華，可說正是這些因素造就了〈山月記〉如此優美的文體。當時我不過是個模仿翻譯家在文章上標注個假名讀音、自以為是小說家的少年，一下子就被〈山月記〉徹底擊潰、體無完膚。

有一件事促成我正式開始創作小說。我國中時，老師出了一份作業，把一篇有名的漢文抄在黑板上。

「請將這篇漢文譯成現代文，並補充細節，寫成一篇小說。」

不過短短幾行的漢文，我細細咀嚼、消化、補充、擴大解釋，最後寫滿了十張左右的稿紙。這份作業，難得獲得老師青睞，被拿出來大大討論了一番，得到肯定。之前，我是用較類似電影劇本的切入法記錄故事，自從有了這次經驗，我在寫作時開始認真以寫小說的心態動筆。現在想想，我在寫這份作業的時候，完全是描摹中島敦創作〈山月記〉的手法。

其實後來，我和〈山月記〉還有深切的緣分。

在邂逅〈山月記〉之後，我還是繼續撰寫小說。我沒有拜師學藝，還冷眼嘲笑屈服於升學考試的同學，近似優越感的傲氣找不到出口，只顧在家埋頭振筆書寫不會有機會見光的小說。

> **我雖然想著以詩成名，卻沒有進一步拜師學藝，或是結交詩友努力切磋琢磨。非但如此，我還不屑與俗人為伍，這都是我怯懦的自尊心與自大的羞恥心作祟所致。***

一開始我會參加文學獎徵選，有將作品公諸於世的遠大目標。不過，上高中之後，寫出新作品也不再投稿了。箇中理由，正如〈山月記〉中變成老虎的李徵吐露的「怯懦的自尊心」和「自大的羞恥心」。

> **現在想起來，是我自己浪費了僅有的這點才能。（略）我這個人的一切，只由**

---

7 漢文為日本學科之一，文章僅由漢字構成，並為增進理解，考量日文結構，加上輔助記號。主要為中國古典作品。除了學科本身，「漢文」也可指稱此類型文章。——譯注

* 出處同前，頁39。

懦弱地擔心可能暴露才能不足，以及厭惡刻苦的怠惰所組成。很多人才能遠不如我，卻懂得專心一意磨練成為一位堂堂詩家。*

不知不覺中，我也成了一頭老虎。「遊戲設計師」就是我化作虎的姿態。

雖然作品巧拙不得而知，總之這是我傾家蕩產，甚至讓心性發狂，自己執著一生的東西，要是連部分都沒傳給後代，我死不瞑目。**

不過，雖然到化身為虎的情節為止都相同，但提到結局中咆哮的意義，我跟李徵卻大相逕庭。我在化身為虎的瞬間，就已經完全拋下自我的羞恥心及自尊心了。

由於化身為虎，我找到新的表達方式，毋需繼續執著於以往。因此，我心意已堅，會繼續對下一個世代咆哮。這種表達方式，應該會與小說文體不同，是名為遊戲的新 MEME。

（二〇一一年四月）

* 出處同前，頁 40。
** 出處同前，頁 36-37。

《李陵・山月記 弟子・名人傳》（李陵・山月記 弟子・名人伝）

中島敦／著，角川文庫[8]

以徹底琢磨的文字、細細描繪情景及人世悲哀

這部作品出自三十三歲便早逝的昭和初期文學奇才之手。收編六篇描叩問人性的生動短篇作品，包括影響小島製作人的〈山月記〉。小島大為推崇，評為「極度去蕪存菁的文體帶來緊湊的速度感，朗讀時有令人暢快的節奏及瀰漫哀愁的旋律。巧緻之極，令人歎為觀止。」

8 角川文庫出版的版本在臺灣未全本翻譯，但由陳冠貴中譯、紅通通文化出版的《［新譯］中島敦：命運的開端》收錄山月記、高人傳、弟子、李陵等四篇文章。——編注

於我而言，阪急電車是牽繫故鄉與回憶的時光機

《阪急電車》有川浩／著，Asma／中譯

「阪急鐵路」在關西一帶，算是規模相當龐大的民營鐵路集團。醒目的深紅色車身與復古的內裝，不光是受到廣大鐵路迷歡迎，其可愛的外型，也在年輕女性乘客間深獲好評。就連從外地來的女性觀光客，也常對阪急電車那極具個性的風格發出驚歎。*

如果有人問到「講到電車，會浮現什麼印象？」，我會回答「胭脂紅的電車」——穿梭於關西山間的胭脂紅色古典電車，就是阪急電車。我出生在小田急沿線的東京世田谷區祖師谷，到三歲為止住在 JR 東海道線沿線的辻堂，不過在懂事前就搬到關西了，所以包括小田急，對東京的電車幾乎沒有什麼印象。

因為老爸工作的緣故，離開東京後，我們搬到阪急京都線沿線的茨木。茨木

* 有川浩著，Asma 譯。《阪急電車》。時報出版，2011，頁 3。

也有ＪＲ（當時的國鐵），不過我家在阪急茨木市站附近，要去京都、大阪、千里的時候，一定是搭阪急電車，所以山崎的三得利工廠、淡路的混凝土工廠等，令人印象深刻的京都線沿線風景，已成為少年時代的心象風景，至今依舊沁染我身。

升上小學五年級，我搬到兵庫縣住宅區——川西。在那裡，我的交通手段從京都線改為經過川西能勢口站（跟能勢電鐵互通）的阪急寶塚線。不管是去寶塚、神戶（三宮）、大阪（梅田）、京都（河原町或嵐山），或是箕面（箕面線）、伊丹（伊丹線），利用的都是阪急寶塚線。

開始工作之後，我在神戶市的岡本租屋，最近的車站是阪急神戶線的岡本站。另外還有ＪＲ攝津本山站，不過靠阪急長大的我，通勤都盡可能搭熟悉的阪急神戶線。

我的半輩子都有阪急電車相伴。補習、上下學、通勤、玩樂、約會、看電影、購物、旅行、新年神社參拜、搭機（寶塚線螢池站）、回老家，全都是搭阪急電車。所以在我心裡，車身的胭脂紅不但是電車的代表色，也是青春的顏色。

有一本小說就是以阪急電車為題材，作者是有川浩，書名正是《阪急電車》，是一部用相關主題串起短篇故事的小說。我衝著書名跟封面就買了，一開始是帶著懷念之情翻閱，但馬上被一股溫柔的鄉愁環繞包覆，那情緒就如同阪急電車給我的母性印象一般，結果我以特快列車的速度一口氣讀完。

它實在是一本不可思議的小說。內容為眾生群像劇，舞台是阪急今津線（單程八站、來回一趟也只要三十分鐘左右），是一條即使在關西也不算大眾的路線。不僅如此，全都是避開尖峰時段的日常故事，跟以往題材多為殺人事件、恐怖攻擊、前所未有大災害的「列車小說」大異其趣。

而出現在電車上的人物是各年齡層的女性：遭未婚夫背叛的女性上班族、戀愛中的愛書女子、跟兒子媳婦關係尷尬的老婦人、被男友家暴的女大學生，和對鄰居間人際關係感到疲憊的中年女性。

每站的故事以各女性主觀視角陳述，電車前進當中，在別站跟其他故事交錯。在阪急電車上偶遇的這些女性，分別在半途下車、改變人生車速，在這當中切換人生關鍵點，重新出發。這些角色獨立的人生劇碼像車廂般連結，來回於今津線各站之間。之後，原本看似各不相關的小故事，串連成一個大的療癒故事而落幕。劇情對都會人容易陷入的那種「匆促人生」感敲響警鐘。《阪急電車》是一部獻給現代女性的小說，讚頌「慢車」式的人生。

像我這樣對阪急電車有特別情感的人就不用說了，即使對阪急電車一無所知的人，讀了這本書後，應該也會很想去搭阪急電車。厭煩於每天通勤通學時擁擠電車的人也好、平時不搭電車的人也罷，一定都會想要隨心所至跳上電車，像這部《阪急電車》一樣，共享忘卻已久的故鄉街道風景以及周遭人人的溫度、還有日常不過的人生況味。

二月，我趁著出差之便，到老家附近為父親掃墓，睽違一年搭上了阪急電車。車上沒有半個認識的人，車窗外流動的風景，也跟我以前住在這一帶時的樣子大大不同。車廂改良了，變得相當高科技，即使如此，還是很讓人懷念，坐在裡面像搖籃般溫柔，非常舒適。對我而言，阪急電車不僅是交通方法，也是牽繫故鄉與回憶的時光機。

《阪急電車》這部小說，讓我領悟到電車不但串起了地方，也是牽繫各世代的 MEME。

（二〇一一年五月）

《阪急電車》

有川浩／著，Asma／中譯，時報出版

在車上邂逅的人交織出的十六個故事

在僅有八站、單程十五分鐘的阪急今津線，作者以充滿幽默及感傷的筆致描繪發生在車上的愛情、離別的徵兆與人際關係的奧妙。第一篇是因書結緣的「男孩遇見女孩」故事。從看的書可以想像對方是什麼樣的人，或許我們會很容易愛上書本喜好跟自己相近的人。

有個地方，全日本的人都該好好認識它

《音樂盒》（オルゴォル）朱川湊人／著

二〇一一年三月十一日十四時四十六分，三陸沖海域深度約二十四公里處發生了地震矩規模九・〇的巨大地震，這是觀測史上第四大的地震。無人經歷過的大海嘯，奪走了超過一萬四千人的性命，失蹤者高達一萬三千八百零四人，受災地直到現在還有多達約十六萬人不得已過著避難生活（截至二〇一一年四月二十日上午十點之數據）。

我們該如何面對這前所未有的災害？

如何理解、承接那些被奪去未來的人的遺憾？

如何延續我們這些存活下來的生命？

在這樣茫然自失的時期，我讀了朱川湊人的小說《音樂盒》。

朱川湊人是我特別鍾情的作家之一。他擅長的風格是以昭和三、四十年代。平民區為舞台的「鄉愁恐怖小說」，像我這樣，擁有相同童年家鄉風景（一九六三年生、在大阪長大）的昭和關西人，特別容易感動落淚。

其實一開始，我準備從朱川代表作短篇集《花食》的〈精靈之夜〉、《一遍老爺》（いっぺんさん）的〈一遍老爺〉，或是《光球貓》的〈書籤之戀〉中選一篇來介紹，如果沒有那場三一一的話。

震災後，在從書架掉到地上的散亂書堆中，我偶然找到的書就是《音樂盒》。

這本《音樂盒》跟追想昭和時代的《花食》等既往的朱川作品相當不同。

> 「人」這個字，看起來像一根長棍靠在短棍上，短棍拚命撐住的樣子。也就是說，雖然是相互扶持，卻絕對不是平等的，強者壓榨弱者，弱者只能被迫操勞、終其一生。
>
> 換句話說，那就是仁美常說的「勝利組」跟「失敗組」——而我是「失敗組」的小孩。*

這段話摘自故事序幕主角少年隼人吐露的獨白。隼人小學四年級，跟堅持不

* 朱川湊人著。《オルゴォル》。講談社，2013。Kindle 版，取自 amazon.co.jp。

付營養午餐費的仁美（母親）一起住在老舊的公營住宅裡。他父親在公司遭內部檢舉而丟了工作，因此跟仁美離婚，母親在隼人面前痛罵其生父為「失敗組」。不僅如此，學校班上蔓延著陰險惡毒的霸凌，隼人也是讓霸凌變本加厲的人之一。這裡找不到支撐了戰後日本高度成長的昭和美德與鄉愁，描寫的是平成時代日本停滯在繁榮頂點而趨於麻木、堪稱殘酷的現實。

「我想拜託你幫我送個東西給住在鹿兒島的朋友。」**

有一天，住在社區的老人屯田爺爺，交給隼人一個發不出聲音的音樂盒，說是「全世界只有一個人聽得到它的聲音」。不過，爺爺給他的兩萬日圓電車費，卻被他拿去買了掌上型遊戲機。不久之後，老人被發現孤零零獨自去世，隼人受不了罪惡感的折磨，就利用春假踏上旅程，要完成答應過老人的任務。

隼人在旅途中，遇到一些大人，跟他說了一些話。

9　一九五五至一九七四年之間。——編注

** 出處同前。

「那件事故有多慘，我們必須自己親眼去看，必須要有很多人記得這件事，否則對不起那些喪生的人。」

「那件事故，不是能輕易讓它成為過去的事，全日本的人都必須去看看那個現場、好好刻印在心裡。」

「我爸爸常跟我和我弟說：帶你們去看廣島長崎，是為人父母的義務。」*

阪神淡路大地震、福知山線脫軌事故現場、廣島和平紀念資料館、知覽特攻和平會館。隼人遇見身負各種創傷的大人，原本應該是受人所託運送音樂盒，但旅程漸漸轉變成巡覽那些在災害、事故、戰爭中犧牲的生命所留下的殘像。不久，他領悟到，重要的不是「失敗組」也不是「勝利組」，而是去傾聽生與死、人與時間的連結。

《音樂盒》是一部成長小說，描寫少年隼人，從拒絕聽取大人世界聲音，變得能感受到大人的哀悼（音色）。在我讀過的朱川作品之中，本書是第一部試圖將現在這個平成年代連結到未來的作品。

我們現在正面對考驗，而全世界都在注視日本，看看日本是否能再度締造

* 出處同前。

奇蹟。

在大震災的考驗中，我們能做什麼？該如何連結到未來？我們真正的價值也在此受到考驗，就連只有一個人聽得見的「MEME」，我們都應該側耳傾聽，並將它傳遞給全世界，就像隼人扛下屯田爺爺託付的任務一樣。

這個連結才是託付給我們的另一個音樂盒。

（二〇一一年五月）

《音樂盒》（オルゴォル）

朱川湊人／著，講談社文庫

遞送被託付的音樂盒到鹿兒島的旅途中，小學四年級的少年將大大轉變

直木賞作家筆下，小學四年級的隼人從東京到鹿兒島的旅途故事，時而暖心，時而讓人眼眶發熱。隼人目睹了電車事故現場、原爆圓頂館、特攻隊基地，以及許多人死亡的地方。這些地方也都是「全日本的人都該好好認識的地方」……。我們該如何理解和承受東日本大震災，接下來又該如何行動，這個成長故事提供了我們溫柔的指引。

掙脫國境與文化的框架，創造一己的世界就好

《悟》（Satori）唐・溫斯洛／著，黑原敏行／日譯

小時候，可能大家都希望將來成為一個質樸沉穩的成熟男人（渋い男[10]）。不過，我的目標不是一般的質樸沉穩男人，我憧憬的是對質樸沉穩心領神會的男人。《裸殺》[11]是一本痛快淋漓的娛樂小說，敘述由日本將軍一手帶大的殺手尼楚雷・艾爾，以東洋精神與「氣」為武器神勇對抗CIA，作者是匿名作家特瑞凡安（卒於二〇〇五年）。就連道地日本人都難以理解的「侘、寂、樸」獨特精神世界，這位美國作家卻描寫得細膩入微，獲得全世界的讚賞，是一部值得流傳後世的諜報小說鉅作。學生時代，我只關心歐美文化，《裸殺》是讓我接觸到日

10 渋い（Shibui，形容詞）、渋み（Shibumi，名詞），意指不華麗卻富沉穩之趣、樸質而耐人尋味。——譯注

11 小說英文原著名為Shibumi，借自日文的渋み（shibumi）。——編注

本古來既有之「樸」的 MEME 之書。

或許純屬巧合，《裸殺》的世界觀與《潛龍諜影》系列可以舉出顯著的相似點。《潛龍諜影 3》採用最先進的近身格鬥術「CQC」，跟小說中談論的「裸殺」技巧有共通之處。另外，《潛龍諜影 4》接受偵察訓練時會說明的「覺醒」和「基線」（遊戲中這些知覺能力是以稱為威脅環的環狀物來顯示）這些可謂帶有忍者色彩的超感覺概念，也會讓人聯想到《裸殺》當中運用「氣」的「近身感應」。二〇〇六年，我為了參考買了文庫本重讀，大為吃驚。記得當時我再次大大讚賞《裸殺》，還推薦給製作團隊。還有，主角是基於珍愛心理而「弑親」，這種以慈悲為出發點的殺人題材，西方人難以理解，而這種自負與體貼的精神，跟《MGS》系列中父親（BIG BOSS）與母親（THE BOSS）的故事也彼此相通。

今年四月，相當於《裸殺》前傳的《悟》出版了，作者是暢銷作家唐・溫斯洛。他有辦法寫出特瑞凡安筆下那種獨特的風格嗎？我跟世界各地的《裸殺》書迷一樣，懷抱著一抹不安，伸手取來《悟》。

尼楚雷・艾爾看著楓葉離枝，在微風中飄舞，然後輕悄落地。真美。*

這是開頭兩行。多麼情感豐沛、風情萬種的開端啊。接著在第二頁：

秋天到了，楓葉落下，這是楓葉的本性。自己之所以殺死形同父親的岸川將軍，是一種身為人子的本性，也是義務。**

實在令人驚嘆。溫斯洛藉著開頭對楓葉的描寫，宣告本書繼承了《裸殺》的精神。我之前懷抱的陳腐擔憂，僅靠著這兩頁就拂拭殆盡。這本書展現了驚人的飛奔速度感！視覺效果超群，宛如電影！在歌劇院的暗殺場景，腦中甚至會浮現帶有聲音的影像，它就像是為了拍成電影而準備的分鏡腳本，情節極為單純，華麗地遵循冷戰時代諜報小說常用的「簡報、潛入、拷問、逃脫、背叛、大逆轉、反擊」典型手法，而且，毋寧說正因如此，反而令人毫不厭膩，一口氣讀到底。

此外，對於堪稱最重要的要素「樸」，也就是對日本文化的廣博造詣，本書的細膩程度也跟特瑞凡安的《裸殺》不相上下。例如，為了不干擾到錯身而過的

* Winslow, Don. *Satori*. 2011. Kindle, amazon.com.
** 出處同前。

人，日本人走路時會將雙手背在背後，這些連我們平時都不會意識到的特徵，書中也描寫得鉅細靡遺。

哲家和武士玩圍棋，會計師和商人玩西洋棋。*

《裸殺》中尼楚雷這麼說。而《悟》中也多次描寫以圍棋來思考諜報戰術。

如果你選西洋棋，我就選圍棋。**

《悟》中尼楚雷則這麼說。尼楚雷要暗殺的對象為西洋棋名士沃羅申寧（Yuri Voroshenin），他的西洋棋思維對上尼楚雷的圍棋思維，兩者的偵查對戰令人耳目一新，極為有趣。

遇見像尼楚雷・艾爾這種比日本人還像日本人的外國人，會令我不禁沉思自己究竟有幾分像日本人。

三一一震災之後，全世界許多相關人士及粉絲對我提出建議：「為了全世

* 特瑞凡安（Trevanian）著，蘇侃靖譯。《裸殺》（*Shibumi*）。晨星出版，2013，頁 77。

** Winslow, Don. *Satori*. 2011. Kindle, amazon.com.

界，現在立刻離開日本，繼續創作作品，那才是你該選擇的未來。將人生耗費在重建過去是錯誤的抉擇。」不過，我並沒有離開日本，因為我無法將日本的重建與一己的使命切割開來思考。這時，我猛然發覺，我以為自己是個全球性的人，其實本質上完完全全是土生土長的日本人。從那之後，我開始不斷自問：「我是誰？」「我要為誰創作？」然後被自己的問題擋住去路，動彈不得。在《悟》當中，有一個場景，既無法歸類於西洋、亦不歸類於東洋的兩個異端人士（在東洋出生長大的尼楚雷，和在西洋出生長大的朗德）針對各自的未來交換意見。

「我們兩個都會永遠被排除在大家的圈子之外。既然如此，我們能採取的態度有兩種：永遠從外側凝望他們的世界、或是創造自己的世界。」***

沒錯。我不歸類於西洋、東洋、也不歸類於日本。我是小島秀夫，這就是答案。我創作的遊戲適合任何國籍或文化背景的玩家，所以有人稱我為「世界的KOJIMA（小島）」。但是無須被這些符號操控，我只要創造出自己的世界——小島秀夫的世界，這樣就好。將創作展現給世界，那就是我自己的「業障」。

*** 出處同前。

所以我不需要「悟」，我已下定決心，邁向一個渾身是業障的人生。

（二〇一一年七月）

《悟》（*Satori*，上下兩冊）

唐・溫斯洛／著，黑原敏行／日譯，早川文庫

與「MGS」系列有重疊之處的《裸殺》世界觀

時值一九五一年的東京，特瑞凡安筆下《裸殺》中孤高的刺客尼楚雷・艾爾被拘留在巢鴨監獄，但接到 CIA 委託必須潛入北京，任務是為了讓中國和蘇聯反目，而暗殺 KGB 幹部……。這部作品開拓了二〇〇〇年代冒險小說的新境界。

不知不覺間，我用自己的雙手創造了曼陀羅

《寄物櫃的嬰孩》村上龍／著，張致斌、鄭衍偉／中譯

小時候，檸檬是我唯一有機會取得的炸彈。就像梶井基次郎的小說〈檸檬〉中在京都丸善放下一顆「閃著金黃光澤的恐怖炸彈」一樣，要去討厭的地方時，我一定會偷偷帶一顆加州產的檸檬出門。

當時，檸檬是個最終武器，隨時能把世界炸個粉碎，既便於自由攜帶，又只有自己能操控，可以為世界帶來末日。

上了高中，我領悟到檸檬炸彈並沒有毀滅世界的破壞力。在那個節骨眼上，我聽說似乎有一本炸彈小說能取代〈檸檬〉，資訊來源是童年玩伴辰夫（那本小說裡也有一個菲律賓人叫辰夫．德．拉庫魯斯），他帶來的新武器，不是果實，而是某種牽牛花的花瓣。那就是我跟「達秋拉」的邂逅。

曼陀羅（達秋拉／Datura）

「這是朝鮮朝顏[12]的總稱，又名山茄子，全株含有生物鹼，是一種會造成幻聽、幻覺、情緒變化、妄想、喪失判斷力的劇毒植物，尤其是在中南美被稱為『波拉琪洛』並為人所栽種的品種，更是提煉莨菪烷類生物鹼阿托品、東莨菪鹼的重要醫療資源。」*

朋友翻開夾了書籤的那一頁，模仿書中人物賈賽爾的台詞給我看：「想要破壞的時候就念咒語——Datura。想要將人一個一個宰掉的時候，就念 Datura。」然後他丟下一句「這本讚喔」，把單行本往我胸前一塞，人就跑了。

朋友借我的是村上龍第一次以第三人稱寫的長篇小說《寄物櫃的嬰孩》，當時才剛出版。

我不吃不喝，飢渴地抱著這本書讀。文章雖然錯綜紊亂，我卻感覺到其中散發出一種既不是聲音也不是影像、這輩子從未經驗過的激烈能源。胃部疼痛、耳鳴隆隆、心臟狂跳、頭暈腦脹、胯下發熱疼痛、好幾次差點嘔吐。這本書侵犯了我，讓我負傷，又緊緊擁我入懷。遭到兇暴愛撫凌辱的我，第一次得知破壞世界的炸彈有多麼必要。

* 村上龍著，張致斌、鄭衍偉譯。《寄物櫃的嬰孩》（コインロッカー・ベイビーズ）。大田出版，2011，頁 103。

本書中達秋拉的形象被塑造成大量破壞兵器，主角之一橋仔在樂團擔任主唱，團中成員是這樣說的：

「就這路線而言你是超一流的歌手，會偷偷鑽進聽眾體內不停撫慰他的神經，和麻藥一樣。但是想要衝上支配群眾的高度，單單只有麻藥是不夠的，我們需要炸藥。聽眾用麻藥築起白日夢，我們的炸藥必須要能夠瞬間把它炸飛。」**

對，那種一瞬間炸飛一切的炸彈！那就是達秋拉，這種破壞的衝動才是流動在這本書中的搖滾精神。我既不是無政府主義者，也不是自由主義者。我，不過是個搖滾信徒。

12 朝鮮朝顏（チョウセンアサガオ）：曼陀羅屬（Datura）為正式學名，チョウセンアサガオ（朝鮮朝顏、朝鮮牽牛花）為常用俗名。「朝鮮」並不代表曼陀羅從朝鮮引進，單純代表這種植物是從外地傳入。——編注

** 出處同前，頁304。

所謂的搖滾，就是在生活方式上拒絕現行規則，會為了不受過去束縛而反抗，也是為了瓦解前人創建體系的恐怖手段，是全世代為選擇未來而學會的 MEME 控管裝置。

完全符合此一條件的，以電影而言，有石井聰亘的《爆炸都市》（爆裂都市 BURST CITY）、塚本晉也的《鐵男：金屬獸》；漫畫則是大友克洋的《AKIRA 阿基拉》。新世代年輕人，為了創建世界，破壞既有的世界，因此舊世代邁向結束。破壞規範、城市及國家，殺死父母、祖先、原住民。所謂 MEME 的延續，也就是憑藉殺戮的世代交替。

什麼是達秋拉？（略）讓東京化為一片純白的藥，菊仔這麼回答。＊

原來如此。《寄物櫃的嬰孩》是青春搖滾小說。我在不知不覺中被他們的生存方式同化了，所以相信搖滾就是不斷追尋達秋拉。

可是，達秋拉怎麼樣都遍尋不著。不久，我進入社會，成家、把曾經發洩不完的精力轉向工作及養兒育女。世界遭泡沫經濟破裂的鬼火燻烤，卻也倖免於破

＊出處同前，頁 194。

壞，我只好告訴自己「搖滾時代結束了」，放棄一切、度過餘生。

事隔三十年，我重讀《寄物櫃的嬰孩》。以前的我無法理解的事，採取第三人稱「秀夫」的角度就理解了。過去遍尋不著的達秋拉，回首來時路，秀夫已經靠自己的雙手創造出來了。如同小說最後，菊仔和秋牡丹把達秋拉遍灑在東京四處般，秀夫現在正把我創造的達秋拉炸彈散布到全世界！秀夫到處散播的達秋拉，是為了讓我在與世界一同終結後，能夠誕生出新「我」的MEME。

闔上書本，秀夫想起，搖滾時代還沒結束。

我們是「寄物櫃的嬰孩」。

睜眼吧，破壞吧、殺戮吧，毀滅這一切。

（二〇一一年十月）

《寄物櫃的嬰孩》

村上龍／著，張致斌、鄭衍偉／中譯，大田出版

從中噴發的能量將把你完全擊潰破壞與解放的青春小說

從寄物櫃誕生出來的少年菊仔與橋仔，無法忘卻住在廢墟的人提起的「達秋拉」一詞。橋仔前往東京尋母，不久，追隨而去的菊仔，遇見跟鱷魚住在一起的美少女秋牡丹。最後，菊仔找到藏在小笠原深海的達秋拉，用它的力量「摧毀」東京。

我們輕視自然而犯下的人為過錯

《復活之日》（復活の日）小松左京／著

是什麼原因、又是誰——

究竟是何種殘暴且不祥的存在，讓這樣的災難降臨在這個美麗星球上？

東日本大震災發生時，我忍不住這樣低語。

是誰帶來這樣的災難？——是一個瘋子？還是當時人類的體制本身？或是某個時期某人的失誤？

讓它發生的是誰、是什麼，其實早已明瞭。

事情發生七個月後，面對沒有進展的災後重建，我再度低語。

該如何做，以及，為何要這麼做……

這同時也是日本科幻界巨星小松左京在一九六四年發表的科幻小說《復活之日》的開場白。他在七月二十六日離世，享壽八十歲，沒能親見震災後的重建。其實在那前一天，我在書店的特設專區看到《日本沈沒》而買下它。諷刺的是，當時經歷震災，小松左京這位天才正開始重獲肯定，不禁感受到冥冥中的因緣際會。

小松本人如何看待這前所未有的震災呢？我迫切想知道，所以再度買齊了他所有作品，包括《無盡漂流的終點》（果しなき流れの果に）、《復活之日》、《繼承者是誰？》、《戈耳狄俄斯之結》（ゴルディアスの結び目），和《結晶星團》（結晶星団）。

若要選出他的最佳傑作，無疑會是《無盡漂流的終點》吧。不過，重讀《復活之日》，我受到很大的衝擊，讀後感跟孩提時代完全不同。主角吉住從水中面對大東京殘骸的場景，讓我想到三一一，忍不住淚濕眼眶。

我最早接觸《復活之日》是在一九七〇年代中期。當時以生物武器引發大流行病為主題的作品並不稀奇，不過，考量到這本小說是在一九六四年寫的，就無法不訝異了。比麥克・克萊頓的《天外病菌》、田中光二《大逃亡》（大いなる逃亡）、有大流行病電影鼻祖之稱的喬治・安德魯・羅梅羅《屍心瘋》或喬治・P・柯斯麥托斯《飛越奪命橋》都早得多，是一部因超前時代太多而被科幻領域遺漏的不幸作品。

無論如何，本書規模宏大。書中拼貼了精密的科學考證、當時的政治背景，以及散在世界各地的登場人物，將人類的滅亡描繪得充滿小說張力，不惜花費大量篇幅描寫，且極為縝密。為了製造疫苗而造成必要原料的雞蛋價格飛漲、空蕩蕩電車內散見的白口罩、不熟悉真相的媒體……這些描寫也喚起讀者對 SARS 和豬流感這些猶新的記憶。這些栩栩如生的描寫，如今讀來，人們應該就會明白這本書並非「幻想科學小說」吧。

《復活之日》雖然是日本的小說，取景的風景卻幾乎都是外國。當時處於冷戰中，外交、航空網絡也未臻完備，海外更顯遙遠。但不可思議的是小松的作品卻多屬全球規模，可以明顯看出他獨特的全球化視野。經歷了戰敗，過去長期堅信的事物被奪走，在他國占領下長大但仍懷抱夢想，對於這樣的青年而言，成為一個高唱反戰反核、編織出全球規模的故事、描寫超越時空世界的科幻作家，或許是一件很自然的事。

沉迷於科幻的時期，我嫉恨全世界，偏好選讀主題是滅亡或世紀末的作品。不過，當我正視現實時，發現了自己的謬誤。科幻並非逃避現實的工具，而是為了超越國家和時代，對未來敲響警鐘而誕生的媒介。到了現在的年紀，重讀《復活之日》，能夠感受到小松左京寫入書中的強烈遺志。

「醫學努力救助人命，卻也同時被利用在研究可恨的生物武器。核子武器、電子工程學亦如是。在努力試圖拯救人類的同時，也努力殘殺人類。」*

作品中生化武器加上地震帶來美蘇間核子戰爭，導致世界二度滅亡。三一一則是發生了地震、海嘯加上核能電廠事故的連鎖大慘劇。

一般發生所謂「重大事故」，都是不幸的巧合令人難以置信地匯集在一起，各種安全裝置如骨牌般一個接一個倒下，才會一下就導致重大事故。**

* 小松左京著。《復活の日》。角川書店出版，1979，頁 110。

** 出處同前，頁 116。

是啊，三一一不是天災，跟這本書一樣，那是我們輕視自然而犯下的人為過錯。這樣的我們，究竟會有復活之日嗎？

「不——該復活的世界，萬萬不能是跟發生大災難相同的那個世界。尤其是『嫉恨之神』和『憎惡與復仇之神』，豈能容其復活？」***

如果我們還能擁有機會，那個契機應該是人類決心選擇跟以往不同的繁榮之路、跟以往不同的MEME，屆時，才會是我們的「復活之日」吧。

（二〇一一年一〇月）

*** 出處同前，頁405。

《復活之日》（復活の日）

小松左京／著，角川文庫

傲慢的人類引發浩劫後，從中摸索重生的故事

被開發為生化武器的 MM——八八病菌外洩，以驚人速度擴散到全世界，人類只剩不到一萬人留在南極，其餘全數滅亡。究竟人類能重生嗎……？博聞強識的作家淋漓描寫科學技術進步之明暗兩面、以及人類膨脹的慾望與傲慢，實為鉅作。作者寫的「初版後記」也必讀，其中富含對今後日本及世界方向性的線索。

為留下MEME，不惜賭上性命挑戰，這才是「生還」

《漂流》（漂流）吉村昭 著

Truth is stranger than fiction.（真相比虛構更令人驚奇）

正如這句話，世界上有許多根據事實寫出的故事，都堪稱奇譚。

這些故事當中，我特別喜歡的是「逃脫故事」。

《第三集中營》、《惡魔島》等電影，我今年也在重新上映時看了。另外，雖然不是逃脫故事，我也看了《127小時》等新的求生電影。它們的共通點在於「倖存紀錄片」。

這次要介紹的是吉村昭的非虛構小說《漂流》。介紹這本書給我的人是作家百田尚樹，這也算是個奇遇，其實是他讀了我寫的電影散文《我的身體有70%由電影組成》（僕の体の70%は映画でできている）裡〈惡魔島〉那篇，直接建議我：「如果喜歡求生類作品，應該去讀吉村昭的《破獄》或《漂流》！」

《漂流》是根據發生在江戶後期的海難事故寫成的小說。天明年間，載著土佐國船員長平等四人的千石船[13]，在海上遭遇大風浪，船嚴重損壞，漂流到位於八丈島南方的鳥島。

那是一座草木不生、也沒有小河或泉水的無人島，這部非虛構小說細膩而充滿教訓意味地描繪了他們在這個極度嚴酷的活火山島上，長達十二年的悲壯求生生活。

「**身處如此境遇，別無選擇。我們盡力設法在這座島活下去吧。**」*

長平如此勸誡那群對過去世界依戀猶在而不願活在現實中的船員。在這座島上，完全看不到一艘船影，不可能得到救助。長平主張應調整心態、適應現狀。島上唯一一種動物是短尾信天翁，他們便殺來吃，用蛋殼儲存雨水來確保飲用水。

長平發現短尾信天翁是候鳥，便在候鳥再次回來之前，先將鳥肉曬乾，製成儲備食糧。他以優秀的洞察力與行動力引領著大家。

不過，大家只吃短尾信天翁的肉，然後成天躺在洞窟內，結果除了長平以

* 吉村昭著。《漂流》。新潮社出版，1980，頁 89。

外，每個人都病了，最後死亡。

「**不動動身體，對健康不好。人生來就該勞動。**」**

長平得到教訓，也開始養生，吃貝類、魚類取得營養均衡、曬太陽、活動筋骨。這應該不限於無人島求生，現代都市人也適用吧。只順著生存欲望、一直過著沒有目標的怠惰生活，人是無法健全生活下去的。

《漂流》有趣之處，在於劇情可以分為兩個部分：前半描寫放棄過去的世界、放棄當人、以動物的身分活下去的姿態；後半則計畫逃離海島，以人的身分活下去。

漂流生活過了五年，有一天，因薩州[14]船破損，有六個人也來到島上。身為

13 天明年間：西元一七八一至一七八九年之間。土佐國：現今的高知縣一帶。千石船：能載運一千石米的大型木造帆船。——編注

14 現今鹿兒島西部。——譯注

** 出處同前，頁206。

倖存者權威，長平同樣用自己「生存」的心得來勸誡大家，不過，他們雖然對長平的生存方式表達敬意，卻也提出異議。

「我們這艘船上的人，大家都四十歲以上了，餘生也沒多長。我們還是想設法逃離這個島，回故鄉去。」*

這位老人賭上性命在所不辭的發言，讓長平領悟到「生存」的本質。只是被動活著、仰仗本能的「亡者」故事，就此轉為懷抱活著返鄉此一主動目標的「生者」故事。

「我們已經死過一次了。（略）亡者同心協力，如果能回到人生存的地方，不是很好嗎？」**

後半，關於「生存」的調性截然不同。薩州船的那些長者非但帶著整套造船所需的木工道具，身為職人的能耐也極其驚人。

* 出處同前，頁 288。
** 出處同前，頁 357。

跟憑藉動物性的直覺及本能、體力活下來的長平，在這方面大不相同。他們製造灰泥、打造儲水池、儲存雨水、用紅豆釀酒、有樣學樣做風箱。這才是將人類智慧發揮到極致的文化生活。

他們跟長平一起，在完全沒有材料的情況下，用漂流過來的木材打造船體，也熔解舊釘子和錨，做成新釘子，並縫合衣服做出船帆，最後造出一艘能載十多人的千石船。

花費好幾年的歲月，完成這艘東釘西補的船，只求靠著自己的力量生還，這群人的睿智與毅力，大概沒有人能不動容吧。

長平一行人要逃離鳥島之際，還為了之後的遇難者，留下了生存所需的道具和知識。此舉證明前人不僅生存下來，而且生還了，能夠帶給後人正向的希望。在這裡，留下了兩種意義的 MEME——生存與生還。

倘若物種存續才是生存本能，利己基因的任務已然達成。那麼，他們又為何要賭上性命求生還呢？

那是因為，在「生還」當中，存在著不屬於動物，而是屬於人的意志（MEME）。不僅是**活著**，而且要**活著返回**人的世界。為了讓超越本能、賭上性命的 MEME 流傳下去，而進行的挑戰，這才是生還吧。

所謂的生還，是為了讓 MEME 流傳的「故事」之一。正因如此，生還紀實小說比求生小說更令人驚喜[15]。

（二〇一二年一月）

《漂流》（漂流）

吉村昭／著，新潮文庫

漂流海上的日本人的無人島求生及生還紀實小說堪稱世界傑作等級

不能認定「要看冒險小說或求生小說就該看國外作品」。本書出自紀實小說名手，想必會跟成書時間較早的《魯賓遜漂流記》、以及現代的《蒼蠅王》一樣流傳下去。以徹底的寫實主義筆法精采描寫無人島的生存生活、出場人物的感情變化、以及對生還的熱情與睿智。對明天懷抱的希望，燃起人的求生動力。

15 日文中「奇」與「喜」同音，此處仿照「真相比虛構更令人驚奇」設計文字遊戲，主張「生還紀實小說比求生小說更令人驚喜」。——譯注

寫書腰是不同於造物的另一種 MEME 傳達手段

《撒冷地》史蒂芬．金／著，陳明哲、葉妍伶／中譯

「史蒂芬．金讚不絕口！」過去某個時期，只要書腰出現這句話，翻譯書籍的新作品就可以有驚人銷量。

不過，在這個翻譯小說不景氣的時代，幾乎再也看不到這個景象了。只是，當我看到「史蒂芬．金讚不絕口！」的書腰，還是會忍不住買走那些翻譯書籍。

話雖如此，我並不是史蒂芬．金的書迷。當然，我看了不少根據史蒂芬．金原作拍成的電影，可是原作幾乎都沒讀過。有讀完的大概只有《黑暗之半》。

史蒂芬．金、丁．昆士、羅伯．麥肯曼，這三位當代驚悚小說名家之中，我偏愛的不是金，而是麥肯曼。所以，我在閱讀金的《末日逼近》前，已經先受到向《末日》致敬的作品《天鵝之歌》感動，進而跳過被譽為所有現代吸血鬼作品始祖的《撒冷地》，先讀了麥肯曼版的吸血鬼故事《他們渴了》（They Thirst）。

換句話說，我之前接觸過金的文章，全都不是小說，而是短短數行的推薦

文；也就是說，我沒讀金的作品，反而讀的都是追隨金腳步的作家之作。奇妙的是，我也很愛讀喬．希爾的書，而他直到二〇〇七年才公開自己是金的兒子。

上個月，《撒冷地》睽違數十年以改訂新版之姿復活。日文版封面插圖找了當今驚悚世代讀者無法抗拒的藤田新策繪製，書腰刊登了大森望的精采文案：「金成功地讓古典怪獸在現代美國復活。」

這本是金的書，當然不可能附上他自己的推薦文，不過，看到書腰上的「金」這個字，我還是反射性買下這本書。

《撒冷地》被譽為將十九世紀以前就存在的吸血鬼傳說搬到現代復甦的先驅之作，不過，書中的設定、情節和手法，以吸血鬼小說而言都相當典型。那麼，為何能獲得肯定？那是因為，跟其他金的作品一樣，本書縝密詳述的設定極為真實，幾近偏執的程度。

舞台是美國緬因州一個人口一千三百人的虛構鄉下小鎮「撒冷地」。故事進行的核心是對抗吸血鬼的幾位主角。不過，主角更像是由在這裡生活的人物群像交織而成的城鎮本身，這也是為什麼這本小說被比喻為吸血鬼版的《冷暖人間》電影。絕大部分的頁數都用來敘述這個鎮的歷史、土地、人物、建築等環繞在故事主軸外圍的解說部分。即使遠離故事主線、即使會減緩故事節奏，為了讓讀者接受超自然現象，於是金耐心鋪陳那些細節知識。這個一絲不苟的舞台設定，正是讓讀者從虛構故事中感受到其真實性堅不可摧的關鍵。在此同時，書中完全沒有對現代存在吸血鬼進行任何說明，跟理察．麥特森在《我是傳奇》中提出科學根據表明「吸血鬼的原因來自病毒」，切入手法完全不同。

另一個特點是巧妙的文字拼貼。請大家注意這本書的第三章，第一句是「小鎮很早就甦醒了」。這章負責說故事的是小鎮。從清晨四點，到第一個犧牲者出現的深夜十一點五十九分，這當中以時間為單位，明晰地拼貼呈現出來。視角並非放在主角身上，而是在小鎮各處之間跳動，從小鎮醒來到入睡，用剪接方式讓大家鳥瞰，帶給觀眾一種如同影像的酩酊感受。

同理，最後的交鋒場景也令人心醉。太陽下山前，每個章節都緊湊地倒數時間。五點十五分加油、五點三十分跟治安官道別、五點四十五分準備聖水、六點十分抵達祕密基地（伊娃民宿）、六點二十三分進入地下室、六點四十分抵達儲藏窖、六點四十五分來到棺木前、六點五十一分看見吸血鬼、六點五十三分交鋒、六點五十五分日落。你看，讀者的注意力完全在時鐘上，手心出汗、幾乎無法呼吸。明明想闔上書，卻像受吸血鬼控制，不由得繼續翻頁，有如被吸進無底沼澤，這就是金被譽為「令人手不釋卷之王——史蒂芬・金[16]」的理由啊。

遲至今日，我的心被改訂版《撒冷地》咬了一口，我成為作家史蒂芬・金的俘虜，不，是真正的「僕人」了。

最近，我有較多機會接到委託要撰寫小說書腰推薦文。原本，身為作家，這並不是什麼值得特別拿來炫耀的行為，不過，我又覺得，如果靠著書腰，就能像吸血鬼的眼睛一樣，引誘人與小說邂逅，那麼，寫書腰推薦或許也算是一種正派的 MEME 承傳行為？

我之所以能夠有機會在《達文西》雜誌的連載專欄中推薦書籍，也是源自跟書腰、跟金的邂逅。書腰正是不同於創作的另一種 MEME 傳達手段，是「我所愛的那些 MEME」吧。

（二〇一二年二月）

---

[16] 史蒂芬・金（Stephen King）的姓氏 King，有意譯為『王』、音譯為『金』之雙關語意。——譯注

《撒冷地》

史蒂芬．金／著，陳明哲、葉妍伶／中譯，皇冠

細緻描繪了侵蝕平靜小鎮之恐懼的吸血鬼小說

震撼美國鄉下小鎮的多起離奇案件，原因竟是吸血鬼復活!?一波一波侵入日常的那種恐懼，雖然原始，現在依舊存在我們四周。或許有人會因為金的作品篇幅太長而敬而遠之，不過，要體會那種到最後一刻如怒濤般情節發展的興奮，就必須事先讓作者鉅細靡遺的縝密描述徹底滲入身體。

尋找的喜悅，與費盡艱辛找到時的精神淨化作用

《找到了！》（*I SPY*）系列，沃爾特・威克（Walter Wick）／著，糸井重里／日譯

這頁有企鵝
青蛙有八隻 袋鼠 斑馬
還有 很多很多各種生物
藏在裡面喔。

去年聖誕節，我買了一本繪本給小孩，是躲貓貓繪本《找到了》（*I SPY*）的聖誕節版。一打開，感覺周遭環境都變成一片銀色世界，我就是因此才發現這本繪本的。

其實我在買的時候，對書名跟內容都還不清楚，結果卻深陷其中，簡直親子一起陷入「找到了！」狀態。

從那天起，我每天晚上都跟小孩兩個人一起「找到了！」。只要做完一冊，就會再買下一冊回來。不知不覺中，在今年年初買齊了全系列（坊間有厚顏大膽模仿的類似書籍，請小心）。

能擄獲人心的《找到了！》，其魅力所在，只要試玩一次就會馬上明白。一樣是視覺探索的繪本，跟《威利在哪裡？》又完全不同。

《威利》有畫出尋找對象的「正確答案圖」，是類似找找看哪裡不同的遊戲書；而《找到了！》提示的並不是圖畫，而只有文字。例如「青蛙」，是怎樣的青蛙呢？什麼顏色？多大？是玩具嗎？還是一幅畫？在找到所有青蛙之前，我們都會一直在繪本中徘徊。

如果你讓腦海浮現具體的青蛙形象，可能反而會找不到。必須摒棄先入為主的觀念，去尋找繪本中的「青蛙」，這就是《找到了！》獨特的趣味。

而尋找的對象，有時埋在雪裡、有時是影子、有時是不小心拍到的、有時模糊不清、可能跟橋或建築物融合成一體、也可能巧妙藏在畫框的外側。大小也非常不一致，畢竟是玩具的世界，每個都不符合現實尺寸。要找到答案，必須能自在縮放自己內心的比例尺。

《找到了！》既不是帶你找到答案的問題集、也不是向來那種比分數高低的遊戲書。最好的證據就是，你在《找到了！》裡找不到任何正確解答，全系列書都遵循這個規則創作而成。

不僅如此，還有附贈的躲貓貓（出題）取代解答，另外，還有各種設計讓讀者可以自己出題。總之，這套書是一個人也好、親子也好，都可以自由地無限玩下去的發明。

填滿了本系列每一頁的破銅爛鐵，彷彿把玩具箱裡的東西倒在四處，會引起小孩的興趣跟大人的鄉愁。它是一座寶山，據說來自作者親自從全世界古董店搜集來的物品。

娃娃、彈珠、小汽車、絨毛玩具、鳥的羽毛、貝殼、乾果等撿來的東西，以及糖果、餅乾等點心，還有剪刀、迴紋針等大家熟悉的文具。每個都是小孩會放在抽屜裡的東西。作者每次都拿這些物品來拍攝，之所以翻開書頁會覺得身心舒暢，應該是這個原因吧。總會忘記開始找，一不留神就看呆了。

有老花眼的我也玩得很高興，所以跟視力完全無關、也不需要連眉毛都得使力的眼力跟毅力。

應該說，主要目的在於看穿作者意圖設下的視覺陷阱和誤導線索，要比的不是視力，而是智慧。

這是個搜尋引擎的時代，憑藉一己之力尋找東西的世代已經結束了。想找什麼，只要用電腦、用手機簡單 google 一下就得了。全世界受歡迎的店、美食、電影、小說、時尚等都能輕易找到。這是一種在被動情況下就找得到一切的生活。但是，在這樣的生活中，缺乏原本那種尋找的喜悅、費盡心思找到時的精神淨化效果，這正是我想推薦《找到了！》的理由。從滿坑滿谷的破銅爛鐵中，**尋找**並**找到**必要的寶物。當然，要找到，必須具備某種程度的品味（這種眼光也可稱作尺度）。那種經淬鍊培養出的眼光，才是 MEME 存在之處。靠自己找到的經驗，一定會帶給我們正面效應。在那樣的時刻，我會想感謝找到《找到了！》的自己。

人生　一切都是 躲貓貓。
睜開眼睛
就也　開了心。
隨著節拍

眼睛就成了MEME[17]
來吧　找到了！

（二〇一二年三月）

17 日文中眼睛（目）的讀音即為ME。——編注

《找到了！》（*I SPY*）系列

沃爾特．威克（Walter Wick）／著，糸井重里／日譯，小學館

小島製作人買齊了《找到了！》全系列

小島製作人特別推薦《I SPY 7 找到了！寶藏之島》（*I Spy Treasure Hunt: A Book of Picture Riddles*）和《Challenge 7 找到了！海盜》（*Can You See What I See? Treasure Ship: Picture Puzzles to Search and Solve*）。

《寶藏之島》的立體透視模型非常棒，據說耗時九個月製作。這本同時也是視覺陷阱與誤導最巧妙的作品。《海盜》從一開始到最後，使用了鏡頭逐漸拉遠的電影手法，小島製作人個人非常喜愛。

我聽見一直寄宿在自己體內的家父的「聲音」

《宿星之聲》（星やどりの声）朝井遼／著

昭和五十二年[18]，女子偶像團體 Candies 剛發布引退宣言的夏天。我老爸欽吾在製藥公司工作，難得很早就回到家，他說：「頭很痛。」在家的只有我跟家母，哥哥有社團活動還在學校。母親提早準備晚餐，突然聽見有人大喊「啊啊啊！」一看之下，老爸倒在地上，發紺、全身痙攣。我撥一一九，留下驚慌的母親，到外面準備給救護車帶路。夜幕漸垂的天空響起了救護車鳴笛聲，我只拿了幾條毛巾跟錢包，就一起搭上救護車，前往急診醫院。

「小島先生，聽得見嗎？小島欽吾先生？聽得到我喊您嗎？」

救護員在車內頻頻確認老爸是否有意識，他無法回答，只是在痙攣中凝視著我，他的眼神，彷彿試圖要告訴我什麼。隔天晚上，老爸沒有留下任何遺言就過

---

18 一九七七年。——編注

世了，是急性蜘蛛膜下腔出血，享年四十五歲，當時我十三歲。

爸爸在放在白色架子上的照片裡，也在白色的箱子裡。*

當時，老爸究竟想告訴我什麼？一直以來，我總是在思考，這個疑問就寄宿在我體內。

為了不讓雨淋到身體，叫做「宿雨[19]」對吧。所以，這是為大家承接彷彿就要落下星光的「宿星」。**

年輕作家朝井遼寫的《宿星之聲》，是一部精采的小說，寫一個大家庭的故事，舞台設在虛構的海岸城鎮「連濱」，會令人聯想到鎌倉。四年前因癌症過世的父親星則，留下一間咖啡店「宿星」，現在由母親經營。故事描寫母親和留下的孩子——長女琴美（進入職場第四年）、長男光彥（大學四年級）、雙胞胎次女小春和三女琉璃（高中三年級）、次男凌馬（高中一年級）、三男真步（小學

* 朝井リョウ著。《星やどりの声》。角川書店，2014。Kindle 版，取自 amazon.co.jp。
** 出處同前。

六年級），眾人的成長與牽繫。一般而言，很容易流於常見的家庭小說，這本卻不是如此。本書的文筆閃閃發光，彷彿細膩的感受凝結成結晶，搭配朝井遼在寫相同主題連續多篇作品時會採用的獨特「切換頻道」手法，在世代交棒這種普遍的主題之間，激盪出水乳交融的無比和諧，誕生了一部青春路跑接力賽家庭小說。

那種白，不是尚未經過任何人碰觸的白，而是硬生生試圖掩蓋已經無可奈何的各種事物的白。***

這部作品從頭到尾象徵性穿插了許多白色印象。純白的牛奶、窗簾、設計筆記……全是父親星則喜歡的顏色。純白的病房、病床、病人服……這些則是在純白季節被蓋上純白布匹、還原成純白的父親星則遺留下的最後顏色。同時，黑色的印象也頻繁出現。咖啡店招牌餐點燉牛肉、以法蘭絨濾布手沖的咖啡、參加

19 日文中「躲雨」稱為「雨やどり」，按照字面直譯即為「雨宿」。——譯注

*** 出處同前。

葬禮的人身上的喪服、孩子們的學生制服。正如連濱的鳥瞰風景被喻為「像咖哩飯」，舞台雖設定為海岸城鎮，其實可以感受到它是一部配色上刻意抑制色彩的單色小說。

色彩的變化，始於常客「茶爺爺」不再出現在店裡之後。這一家人不久就發現，他們失去的顏色不只是茶色。嚮往成為色彩搭配設計師的次女、在販售琳琅色彩寶石的店鋪工作的長女，還有喜歡攝影、喜歡用底片記錄家人色彩的三男，他們在建築師父親留下的純白「家人畫像」中，填上各自的色彩，摸索新的家庭配色。也就是說，這部小說是描述一個家庭在失去大黑柱[20]、混成一片灰之後，修正他們的色調和曝光值的故事。各章乍見互不相關、個別描寫每個孩子，其實都巧妙遞出了接力棒給下一章，最後全部在宿星咖啡店的星形天窗處匯集為一，對星則的遺志（MEME），展現出奇蹟般的美麗和諧。

「爸爸還有好多事物想給你們看、講給你們聽、告訴你們。原本希望有生之年能親眼看見你們從這個城鎮展翅高飛的樣子啊。」*

* 出處同前。

那個夏日，我以為在家父欽吾的骸骨消逝時，我也就隨之失去了父親。但我錯了，父親至今依舊存在我身上。寄宿在我體內的聲音，正是當時家父欽吾試圖告訴我的事。如今過了三十五年，我在《宿星之聲》中，聽見一直以來應該都住在我體內的、家父的「聲音」。

「**好好照顧大家**」

總有一天，會輪到我將接力棒（MEME）交到孩子們手上。到時候，我應該也會同樣對孩子們這樣說。

你們是我的孩子，沒問題的。

（二〇一四年四月）

---

20 大黒柱（だいこくばしら）：房子中心的主要支柱。——譯注

《宿星之聲》（星やどりの声）

朝井遼／著，角川文庫

父親留給住在海邊小鎮三兒三女與母親的奇蹟

住在海邊小鎮的三兒三女，內心有種種想法與糾結，各自踏出一步的夏日故事。MEME 透過土地、風景、顏色等各種物品或形式顯現。二〇〇九年作者還在早稻田大學就讀，就以《聽說桐島退社了》獲得第二十二屆小說昴新人獎。本作品為他的大學畢業論文。

作者操控手術刀如此高明犀利，讓我在胸口被剖開時伴隨著快感

《剖開您是我的榮幸》皆川博子／著，王華懋／中譯

「能解剖您是我的榮幸。」克倫把 delighted to meet you（認識您是我的榮幸）說成 dilated（手術用語的「擴張」之意）to meet you，並向男子的屍骸行了個禮。*

去年年底，發售了二〇一二年版的《這本推理小說真厲害！》。我雖然已經不像以往那麼入迷，還是會在意它的排行。並不是期待這本導覽書介紹書籍，而是想確認自己選的書（MEME）是否入榜。

國內篇第一名是《種族滅絕》。我在發售前就讀了，還寫了書腰推薦文。第二名是《折斷的龍骨》。我雖然沒讀本書，但作者米澤穗信的「古籍研究社」系

* 皆川博子著，王華懋譯。《剖開您是我的榮幸》（開かせていただき光栄です— DILATED TO MEET YOU —）。圖神出版，2014，頁 89。

列，我可是從頭到尾全部讀完了。我暗自竊喜：「我的品味（MEME）也不容小覷嘛。」可是看到下一本書名，我僵住了。《剖開您是我的榮幸》？作者是皆川博子。名字有聽過，可是，書一本都沒讀過。幾乎每天跑書店的我，自尊心受了重傷。

這位作家到底是誰？心傷未癒合的我，去 google 了一下，找到皆川博子的訪談報導。

「這位八十一歲還持續寫作的作家表示她每天都跑書店。『我不喜歡在外面走路，好歹也要在書店裡面走路。』即使不是馬上要讀，只要有興趣的書，就會買下來。」（引自二〇一一年十月二十一日朝日新聞電子版）

我很驚訝，皆川居然已經八十二歲，跟我母親同世代，是位超級資深的現職作家。

我毫不猶豫翻開了封面有如少女漫畫的這本《剖開您是我的榮幸》。皆川操控手術刀如此高明犀利，讓我在胸口被剖開時伴隨著快感，然後，彷彿被麻醉般，我緊接著又讀了她的代表作《死之泉》和《倒立塔殺人事件》。

每一部基本上都是懸疑小說，但同時也是幻想、耽美、時代、官能小說。幻想與史實、詭譎與情色、異端與悖德。躺在手術台上的我，不斷沉醉於那些對比交織出的形式之美。

《剖開您是我的榮幸》舞台為十八世紀的倫敦，是以非法解剖為主題的正統懸疑小說，風格輕鬆大眾。《死之泉》是第二次大戰中，發生在納粹人體實驗機構的親子之愛與復仇的故事。《倒立塔殺人事件》則是終戰前後發生在東京教會學校、虛實交錯輕小說風格的反敘式偵探小說。

每一部都充滿了採訪得手的詳盡資訊、一己的經驗與知識，以及堪稱作家獨有特色的品味、幻想與論點。那些並不是內科醫療的處方，而是以外科縫合的手法，將異國美術、音樂、文學等的廣博學識強制縫合在一起，是用豐潤的美學意識奏出的敘事詩。

不僅如此，皆川作品也如一九七〇年代少女漫畫，是終極的「人物小說」。皆川出生於一九三〇年，同時代作家有持續傳達耽美、異端MEME訊息的澀澤龍彥（一九二八年）和三島由紀夫（一九二五年）等。而受到這個世代影響的作者，肩負了以耽美、異端或同性戀主題的少女漫畫潮流，她們就是萩尾望都、竹宮惠子、大島弓子等被稱為「二十四年組」的漫畫家。在三島和澀澤離去後，她們「二十四年組」的接力棒，切實地交給了平成的年輕作家。

被「剖開胸膛」的我，開始四處尋找皆川博子其他過去的作品。找了好幾間大型書店，終於買到短篇集《蝶》，其他的著作卻都沒找到。皆川的書據說很少再刷。或許現代讀者會對以外國為舞台、描寫非日常的小說敬而遠之，畢竟要理解自己不知道的世界、文化、風俗習慣、土地、時代、思想，都會需要讀者付出努力與體力。

遺憾的是，現在即使是翻譯成日文的書籍或甚至是日本人寫的小說，只要是以外國為舞台、描寫非日常的小說，大家依舊敬而遠之。受歡迎的是現代的、常見的、任何人都能移入情感、描寫日常的作品。不過，在我們那個時代並非如此。我們會努力藉由閱讀外文翻譯書，來理解陌生的世界及文化、思想。從這當中，我體會到理解未知事物的興奮，那是因為它讓我看見原本不知道的世界，而這就是讀書真正的妙趣。話雖如此，皆川的特徵就是異國、異世界、戰爭、性別等題材，而這些並不是現代年輕人容易接受的題材。

不過，八十二歲的皆川，現在依舊在文壇上，持續親手交棒給二十一世紀的讀者，這一點使我深受感動。

我在二十五年前，在遊戲中放入一般認為沒有必要的故事情節和訊息。不過，這個志向隨著社群遊戲的勃興，逐漸消失。「遊戲只要能打發時間就好，不會形成文化」，或許這是「時代」下的結論。

即使如此，我打算即使過了八十歲仍繼續工作。我把自己的 MEME 託付在遊戲中，那正是皆川交到我手上的接力棒（MEME）。

皆川博子女士，感謝您開展了我的視野。

還有，雖然為時稍晚，見到您是我的榮幸，我的母親。

（二〇一二年五月）

《剖開您是我的榮幸》

皆川博子／著，王華懋／中譯，圓神

發生在十八世紀的倫敦
解剖教室師徒的手忙腳亂懸疑劇

沒讀過皆川作品的讀者，建議從好入手、好讀、有趣至極的《剖開您是我的榮幸》入門。舞台是十八世紀的倫敦，在司法之眼不及之處進行解剖的教室。千金小姐的遺體被掉包成四肢被截斷的少年?!這部懸疑小說，滿溢著當時倫敦的氛圍與作者獨特的幽默與美感意識。

我們能在「他人的言語」中活下去嗎？

《惡童日記》《二人證據》《第三謊言》雅歌塔・克里斯多夫／著，簡伊玲／中譯

如果我沒有離開自己的國家，我的人生會是怎樣的呢？我想，人生應該會更痛苦、更貧瘠；不過，就不會如此孤獨、也不會如此心碎吧。——摘自《文盲》＊

三一一以來，一年過去了。到現在，對巨大地震及放射線污染的不安還無法消除。我們可能會喪失日本這個國家，我們可能會喪失身為日本人的歸屬感。這一年，我們時時刻刻都懷抱著這樣讓人憔悴的情感。不過，喪失故國，究竟是怎麼一回事？

在這種心情下，我想起《惡童日記》的雅歌塔・克里斯多夫。她在一九三五年出生於匈牙利，一九五六年匈牙利發生動亂，她以難民身分經由奧地利流亡到

* Kristóf, Ágota. Andrea Spingler trans. *Die Analphabetin*（*L'Analphabète*）. 2015. Kindle, amazon.com.

瑞士，直至二〇一一年過世為止，一直住在法語圈的納沙泰爾市，在此期間學會法語，是一位以非母語之異國語言發表作品的「難民作家」。

「我們」的《惡童日記》

這本小說在一九八六年出版，是克里斯多夫的處女作。舞台推測是作者在第二次世界大戰末期住過的一個鄰近奧地利的村子。主角是一對雙胞胎，因戰爭來到被稱為魔女的祖母身邊避難。文章用第一人稱書寫作文的形式描寫了年幼純真的他們在戰禍中頑強生存下去的樣子，作文手法排除了一切帶有情感的修飾詞彙，設定成「我們」反覆謄寫，只保留事實，因此，客觀的文體極為簡單銳利。只要讀這一本生動的純文學作品，就能體悟到戰爭中冷血求生的「我們」多麼荒誕不合理。

「路卡斯與克勞斯」《二人證據》

不過，一年多後《二人證據》出版，又讓每個人大吃一驚。第二部不再使用作文形式，取而代之的是「我們」以「路卡斯與克勞斯」的第三人稱進行敘事。

續篇的發生時間接在前一部之後，一心同體的兩兄弟，其中一人越過國境，而留在原處的路卡斯將「我們」的《惡童日記》以手記形式續寫下去。不過，最後大家會發現路卡斯（LUCAS）和克勞斯（CLAUS）是易位構詞的文字遊戲，敘事者路卡斯並不存在，手記則是克勞斯憑空捏造出來的創作。「我們」寫的《惡童日記》真實性為何，探尋此事的故事被改寫，連雙胞胎這個「二人證據」也遭到否定。

「我」的《第三謊言》

一九九一年出版了續作《第三謊言》。在本書中，讀者又得再次大吃一驚。完結篇由「我」這個第一人稱講述，只不過，這次表明了之前寫的「我們」或「路卡斯與克勞斯」都是「我」編造出的幻想（虛構人物），閱讀下去就會漸漸看到不同的設定。也就是說，第三個「我」的告白，讓惡童們的文本，補全了作者的自傳故事。似乎在告訴大家，這才是作者親身經歷過的真相。

從這種由三次謊言創造出的多層結構中，逐漸浮現出克里斯多夫本身深刻的喪失感。「我們」越過國境，分裂成兩個人格「路卡斯與克勞斯」，接著來到異國，成為空殼的「我」，無法適應新風土而回到故國，卻也找不到容身之處。被迫共有複數身分的「我」，不是國民，而是流浪者。而就算分裂的人格回復成「我」，也不再是從前的「我們」了。

只讀第一部、讀了第二部、跟讀完三部曲，讀後感會截然不同。這種架構堪稱特技等級的三部作，真是空前絕後。

事實上，克里斯多夫居住的村子在二次世界大戰中遭德軍占領，大家被要求使用德語；蘇聯解放此地後，學校又在正規課程中強制使用俄語。戰火中，不知多少次，她自己的母語匈牙利語不斷遭到剝奪。在這樣的背景下，她使用被稱為「敵語」的非慣用異國語言執筆，將「被迫喪失言語的悲劇」昇華為文學，成為這三部曲。她之所以編織出謊言 MEME 的理由在此。

失去母語是怎麼一回事？日本沒有設定官方語言，是因為語言幾乎只有一種。對於我們日本國民而言，日語就是身分認同。因戰爭、天災，導致國家（state）或國土（country）這個容器喪失另當別論，但如果喪失的是日語這個民族歸屬（nationality），我們能夠在「別人的語言」中生存下去嗎？

我們正面臨喪失國家的危機。政府（state）可能明天就會垮台，但我想相信日本能夠重建起來。為了鞏固這份決心，我們應該再讀一次雅歌塔・克里斯多夫留下的文本（MEME）。

（二〇一二年六月）

《惡童日記》《二人證據》《第三謊言》

雅歌塔．克里斯多夫／著，簡伊玲／中譯，小知堂文化

我們可以讀書，還可以寫作
這個世界到處都是故事

希望大家至少可以翻翻看非常易讀的《惡童日記》。如果喜歡，希望大家能繼續閱讀《二人證據》和《第三謊言》。如果興趣更濃了，希望能再讀讀第四部作品《昨日》及自傳《文盲》，應該會更直接感受到她那隱藏在虛構情節中的悲傷。小島製作人為了寫這篇書稿，一口氣又重讀了她的所有作品。

就算捨棄一切，也只能繼續追尋「它」

《眾神的山嶺》夢枕獏／著，張智淵／中譯

Because it's there.（因為它就在那裡）

這是登山家喬治・馬洛里（George Mallory）名言「因為山就在那裡」的出處原文。《紐約時報》的記者問他「為何想攀登聖母峰？」他回答「因為它就在那裡」，而馬洛里這句話被曲解後廣為流傳。

不管任何時代，冒險者總是尋求無人造訪過的處女地。大航海時代的「它」是新大陸，冷戰時代阿波羅計畫的它是月球表面，而到了二十世紀中葉，地球上剩下的最後一塊處女地則是山嶺。

原本登山就常被拿來比喻人生，因為每個人都有各自的「山」、各自的「處女地」。不過，我到了這個年紀，卻幾乎要失去對自己這些志業的信心。

在這樣的情況下，當時在達文西編輯部工作的橫里隆介紹了一本小說給我，是獲得柴田鍊三郎獎的山岳小說傑作——夢枕獏的《眾神的山嶺》。

不管怎麼說，我都想推薦這本小說給對人生迷惘的人以及此刻評估要下山的人。零下四十度的大氣、重度殘疾、強風、雪崩、落石、凍傷、飢渴……。以地球上生命活動而言，沒有比這個更嚴苛的極限狀態了。毫不留情的殘虐描寫不斷，到讀者感覺麻痺為止。即使清楚知道是部小說，還是令人難以忍受那寒冷、無法呼吸的感覺、痛楚和顫抖，只想大喊「拜託！別再繼續了！」只不過，全神貫注仰望故事頂峰的那些男人，並沒有捨棄夢想下山，而是選擇繼續懷抱夢想、與山同化的那條路。這的確看起來是一種只顧自己的愚蠢行為，不過，就算丟下一切，也要繼續追尋志業的那些男人，他們悲壯的意志，無人能不感動。本書日文版上下冊總計一千頁的兩座山，我只能跟著認真到幾近瘋狂的他們一起攀登到最後。而藉此，我得以重新面對一直以來我心中的「它」。

《眾神的山嶺》中出現了兩位登山家，一位是傳說等級的天才登山家羽生丈二，他在四十九歲立志挑戰尚無人成功的聖母峰西南壁冬季無氧獨攀攻頂，向來堅持挑戰無人攀登過的山頂、季節、路線和裝備，是位孤高的登山專家。

那只是順著其他人爬過的路線的行為。還沒有人爬過的垂直攀登路線，才是我的路線。我能在這面岩壁上留下記號。*

我的「它」完全跟羽生一樣。回首來時路，我一直率先實現了誰也沒做過的事，而且我自認刻意選擇了沒人攀爬過的危險路徑，這也就是我的山。

《眾神的山嶺》還有另一位主角，就是負責說故事的攝影師深町誠。他探求著謎題的解答，在追隨羽生的旅途中，受到啟發、同時也深深對山著迷。缺乏自信的深町，時時刻刻都無法擺脫「被山遺棄」的自卑感，因此，決定追隨羽生背影登山。不久，深町理解到繼續登山的行為本身才是自己的志業。

我一定會活著回去。
活著回去，然後再回來山上。
我大概會持續反覆這種行為。
那就是我所能做的事。
我只能做到這件事。**

* 夢枕獏著，張智淵譯。《眾神的山嶺》（神々の山嶺）。木馬文化出版，2016，頁 157。

** 出處同前，頁 600-601。

我原本自認跟羽生一樣，率先跑在前方，但讀了深町堪稱頓悟的獨白之後，我受到極大的衝擊。是的，現在這個老去的我，並不是羽生，而是深町。

我產下自己最初的志業，之後已經過了四分之一個世紀。如今回首，除了「它」我一無所有。喪失「它」，就等於喪失自己，所以，即使得捨棄一切，我也只能繼續執行「它」。

「不是因為山在那裡。而是因為我在這裡。（略）我只有登山。我不像其他人，會那個也會這個，而從那些事當中選擇了登山。因為我只有登山，所以登山。」＊

我的「它」就是遊戲創作。就像迷上山嶺無可自拔的他們一樣，一直以來，都是「它」──那個讓我偏離原本路線的契機──拯救了我。

話雖如此，時代已然不同，我一路攀登的「遊戲創作」發生了地殼變動，不斷改變樣貌。即使如此，我依舊會繼續攀爬吧，但並不是「因為它就在那裡」，說得更貼切，今後應該是「因為它不在那裡」，所以我會繼續攀爬。

＊出處同前，頁 419。

（二〇一二年七月）

《眾神的山嶺》

夢枕獏／著，張智淵／中譯，木馬文化

除了山嶺一無所有的天才登山家無畏的人生樣貌

他們冒著生命危險挑戰地表最接近天空的聖母峰頂。一定有人「無論如何都想親眼看看！」這眾神的山嶺吧。如果你也這麼想，推薦由谷口治郎改編的漫畫《神之山嶺》。漫畫版筆觸緻密，可以仰望跟原作小說不同風貌的壯闊《眾神的山嶺》。

將不可能的故事（虛構）化為可能（事實）

《被謀殺的城市》柴納．米耶維／著，林林恩／中譯

《被謀殺的城市》是一部將異想天開想像力昇華的科幻小說。貝澤爾是位於巴爾幹半島的虛構都市國家，在那裡，出現了一具身分不明的年輕女性他殺屍體。故事由追查這個殺人案的刑警柏魯警探以第一人稱述說。

你或許會想：「什麼嘛？就是常見的冷硬派小說吧？」

不過，讀到第二十三頁，有這樣的敘述：

只有幾個例外，你只要瞥一眼就會知道他們不屬於貝澤爾，因此我們對他們視而不見。*

接著是三十二頁，又出現這樣的句子：

* 柴納．米耶維（China Mieville）著，林林恩譯。《被謀殺的城市》（*The City & The City*）。木馬文化出版，2018，頁 23-24。

馬切斯橋的交通一向壅塞，本地外地皆然。**

再來，在四十九頁終於出現線索：

這次我則朝鄰城看去——就算違法，我還是看了。***

也就是說，在這個世界，「貝澤爾」與「烏廓瑪」兩個國家呈現馬賽克式的交錯，而且像柏林圍牆那種物理性的區隔並不存在，是道路、土地等都要共用的雙層都市。他們看得見也聽得到彼此，但在長久歷史上，卻一直強迫訓練大家不去看、看不見、聽不到對方，在每個人腦中築起國界，視彼此為無物。為了取締在兩個城市間禁止的跨界行為，成立了令人畏懼的神祕組織「跨界監察」，他們在這個「看不見」的國界系統中扮演重要的角色。

繼續讀下去，會發現受害者在「這邊」遭到殺害，再被運到「那邊」。柏魯督察在接受正規行前訓練（適應環境）、辦妥手續（越過國境）之後，來到屬於「那邊」的烏廓瑪。他在調查過程中逐漸接近存在於城市與城市間的第三個城市

** 出處同前，頁 32。
*** 出處同前，頁 49。

「歐辛伊」。專攻考古學的受害者似乎正是因為調查那第三個城市，才捲入事件當中。追查犯人（犯人是誰 /whodunit）之旅中，「交錯重疊」浮現，成為探究這雙層都市樣貌的科幻懸疑故事。

大概沒幾部小說能讓如此異想天開的點子呈現得這麼真實了。

本書出現了許多科幻性質的自創新詞，像是界線、完全地帶、異地、他城異物、重疊區、爭議地區、跨界監察／違法跨界等等。不過，劇中的 iPhone、Amazon、Myspace、哈利波特、金剛戰士等等，盡是現在我們日常熟悉的事物。

話說回來，原本虛構作品真正的妙趣，在於隨處可見的故事漸漸發展成異想天開的情節。這部作品卻逆向操作，將破格異想天開的故事（虛構）日常化，化為可能的情節（事實），讓讀者接受。二十世紀的科幻向來以科學考證駁斥奇幻或神祕學現象，而這部作品卻不同，它將日常細膩縝密編織到故事裡，成功地建構出現實。

第一部，身處貝澤爾的我，覺得本書就是一部都市警察小說而看輕了它。第二部，到了烏廓瑪的我，訝異於城市只是個幻影。第三部，站在跨界監察／違法跨界角度的我，對於本書是城市文學而感到顫慄。

本書雖為懸疑小說，但同時也透過讓小說類型違法跨界，使讀者能夠更深入享受其樂趣，是一部「重疊區」作品。

現在（二〇一二年當下），我已經開始籌備小島製作公司的洛杉磯工作室，這邊一開始運作，我應該會頻繁往返於東京和洛杉磯之間，而兩邊工作人員之間的「他城異物」也會相當緊密吧。當我把目標設定在全世界，工作室在「哪一邊」已不造成影響，因為工作室會存在於「城市與城市之間[21]」。

所謂的城市，是MEME的堆疊，不過，我的工作室將會存在於東京與洛杉磯之間的第三個「世界」，成為真正全球化的工作室。從那裡，我想要凸顯的，不是既往美國那種把當地打上一層馬賽克的MEME，而是真心以全世界為對象，能夠跨界至全球的MEME。

卷末，柏魯督察做了這樣的總結：

「我所在的這個地方，人人都是哲學家，針對我們體驗過的眾多事物，討論

---

21 本書的日文書名『都市と都市』直譯即為「城市與城市」。——譯注

我們到底在什麼地方。而對於那個問題，我持自由主義的立場。我的確身在夾縫中，但也在這個城市與那個城市裡頭。」*

（二〇一二年八月）

* 出處同前，頁 356。

《被謀殺的城市》

柴納．米耶維／著，林林恩／中譯，木馬文化

懸疑？科幻？跨越類型的「交錯重疊」小說

小島製作人說：「所謂的城市就是MEME的堆疊」。在共有同一空間的雙層國家裡，MEME是如何堆疊的？本書跨越懸疑、科幻、冷硬派等既有小說類型，展現了全新的娛樂可能性。不只石黑一雄讚不絕口，也驚人地一舉囊括雨果獎、世界奇幻獎，和亞瑟．克拉克獎。

藉由蛻去舊殼，MEME 創造出嶄新未來

《火車》宮部美幸／著，張秋明／中譯

所有東西逐漸電子化，以往種種物品以「就在那裡」的物質型態存在，現在開始被存放在「不在那裡」的某個遠處。一切的一切，不再是具有質量的物品，而是在電腦空間中數字化，無法直接碰觸。

有一種東西在數位時代之前就使用了非物質化的方法而變得更加便利，那就是貨幣，金錢。在日本，信用卡是在一九六〇年代初期的高度成長期開始脫離理論進入實用，不久普及到一般大眾，結果年輕人濫用信用卡導致「自願破產」成為嚴重社會問題。在一九九〇年代當時，就有一部推理小說從正面探討「以債養債」的社會弊病，那就是宮部美幸的《火車》。這部小說足以列入我生涯精選排行榜前五十名，堪稱傑作中的傑作。

人活在世上無法不留痕跡，正如脫下的衣服總會殘留著體溫。*

* 宮部美幸（宮部みゆき）著，張秋明譯。《火車》。臉譜出版，2023，頁 232。

一直以來，我都公開表示《火車》才是平成版的《砂之器》。倘若松本清張的《砂之器》是談受特殊宿命引領的地獄（火車[22]），那麼這部作品就是描寫潛藏在日常生活中的地獄（火車）。是的，這部作品就是跟隨一位平凡女性，為追求幸福，在煎熬折磨中犯下罪行一路留下的「痕跡（MEME）」；同時，本書也是個勇敢的故事，這位女性在此過程中面對過去自己拋下的「社會（MEME）」。所謂MEME就是流傳下來的東西，不過，就像GENE（基因）是DNA的交集結果，MEME也是藉由褪去古老外皮來創造新未來。

《火車》出版後又過了二十年。時代經歷多次MEME的蛻皮，不斷產生新的病灶。在所有遊樂或日常都已電子化的今日，可能成為新「火車」的火種即將熊熊燃起。不久前蔚為話題的社交遊戲「完整收集轉蛋管制」[23]也算其中一種徵

---

22 在佛教中，火車指的是載著犯下惡事的罪人前往地獄的車，車身燃燒火焰。——編注

23 完整收集轉蛋管制（コンプリートガチャ規制）：完整收集轉蛋是手機遊戲或社群遊戲的一種道具課金模式，玩家付出金錢以抽取道具，收集到特定的多種道具（達成完整收集）之後，就可以拿到特殊道具。但因為轉蛋機率不明確，有操作機率惡意誘使玩家大量消費之虞，所以日本消費者廳於二〇一二年五月十八日正式宣布完整收集轉蛋違法，設下管制。——編注

兆。正因如此，《火車》至今依然能撼動讀者情感。

貨幣失去實體，造成連鎖擴張的卡債地獄。有個女子為了逃離這個地獄而捨棄過去（MEME），而後有位刑警到處搜集她金蟬脫殼（MEME）的殘渣，試圖再度拼湊她的實體面貌。《火車》至今仍獲得社會派推理高度評價的理由就在此。

在眾多宮部作品中，我之所以偏愛這部小說的理由，不只是出自它具先見之明的社會派部分。

這位不幸的女性，為了生存，只得刪除自己的過去、搶奪別人的人生（MEME）。這位女性留下的痕跡（MEME），勾起了我特殊的情感。

「你們知道蛇蛻皮是為了什麼嗎？（略）蛇不斷地一次又一次拚命地蛻皮，是相信總有一天會生出腳來。」*

在這部作品中，沒有任何關於這位女性言行、個性、視覺上的描寫，我們只能從履歷表和團體照等物品中略知一二，只能憑藉他人曖昧不清的抽象線索，稍稍窺得其出身經歷，完全找不到本人的發言或心情表露。

* 出處同前，頁 354。

披著「關根彰子」這層皮的「新城喬子」，這位女性究竟怎麼想、如何導致最後的犯罪行為？推理小說最重要的「對答案」，這個部分一直到最後都沒有化為實體。

即使如此，我卻一直看得見她那不成形體的雙腳。

結尾特別值得一提。追查案件的刑警得到機會，與犯人面對面。只不過，前來逮捕凶惡犯人的資深刑警，卻道出顛覆推理小說常識（MEME）的心境。

> 腦袋裡浮現的盡是疑問，卻沒有任何怒氣。過去搜查過那麼多的案件，從來沒有過像現在這樣的感覺，從來沒有。**

是啊，我過去讀了各種懸疑小說，在最後揭曉謎底時，我沒有抱持過這樣的心情，一次也沒有。

> 我在想，如果妳逃跑，我的心情就不會如此沉重了。***

** 出處同前，頁 483。
*** 出處同前，頁 484。

是啊，這種感覺也是。

讀了各種推理小說，我從來沒像這樣，覺得犯人逃走，我心情還比較輕鬆。

其實我一直想在見到妳的時候，聽妳說妳自己的故事。

妳之前沒有告訴其他人的故事。妳一個人承擔過來的往事。妳逃亡的歲月。

妳藏身匿跡的歲月。*

作者在最後刻意安排了應該不存在的她出現，讓《火車》這個故事的未來接續到既非「物品」亦非「數字」，而是讀者的「彼方」。

最後一頁，最後三行，我至今依舊無法忘懷。

反正時間多的是。

新城喬子——

現在阿保正將手搭在她的肩膀上。**

* 出處同前，頁 486。
** 出處同前。

然後，我闔上了《火車》的書頁。從未長出雙腳、只能佇立在原地的那位女子，在她的肩膀上，現在也搭著我的手了。

（二〇一二年十月）

《火車》

宮部美幸／著，張秋明／中譯，臉譜出版

如幻影般消失的美麗女子所企盼的小小幸福

刑警本間在停職期間受遠親青年委託，開始尋找他失蹤的未婚妻關根彰子，因為關根在爆出因陷入卡債地獄而自願破產後，隨即銷聲匿跡。不過，她徹底抹消了自己的過去。是什麼讓她非如此不可？在債務逼迫下，為了追求平凡的幸福，她做了什麼……？描寫主動放棄社會權益的女性之哀戚。

在無懈可擊的完全犯罪另一端，那無關「大義」的成就感

《劫持波音七四七》盧西恩．拿赫姆／著，聞煒、侯萍／中譯，輕舟出版社

這正是我生涯精選書單冠軍！從來沒見過任何一本書能超越這個故事。

在我眼前有一本復刻版《劫持波音七四七》。睽違三十五年，此刻，我剛讀完這本書。開頭那一句，是我在當時的兩年前，為了「小島秀夫的早川文庫節」寫下的書腰文案。

國中二年級的春天，我邂逅了這本「完全超乎常理的故事」，這邂逅實屬僥倖。我喜好的科幻或國外翻譯書籍幾乎不是隸屬早川文庫系列就是創元推理文。不過，有一天，我的注意力被平台陳列的新潮文庫版《劫持波音七四七》吸引過去。當時，提到新潮文庫，我抱持的是專出文學、古典作品的嚴肅印象。這樣的出版社，居然出了國外娛樂冒險小說，而且飾以早川味十足的美麗封面，引起了

我的興趣（更換出版社之後，復刻的早川版封面，雖然飛機的機體變成平視的角度，還是很貼近新潮版帶來的印象）。

總之《劫持波音七四七》有趣得出類拔萃、有趣到令人雙腿發軟！

洛杉磯飛往檀香山的七四七巨無霸客機（PGA81 號班機），遭最新可變翼垂直起降戰鬥轟炸機（TX75E）劫持。英文書名 Shadow 81 是劫持機的航空呼號，取名自「追蹤著 PGA81 號班機的那架飛機身影」。拿赫姆將這沒人想得到的大膽情節——不，應該說就算想到也不敢出手的異想天開情節，以堪稱過度縝密的細節，成就了這部完美的作品。前無古人、後無來者仿效這創意，就是最好的證明。這是一部實現「以戰鬥機進行劫機」的獨一無二娛樂小說。

單純以懸疑小說的角度而言，本書也令人激賞。從交付贖金的方式、到最後揭曉的主犯真面目與犯案動機，接二連三布滿現在所謂傑佛瑞・迪佛[24]等級的劇情大轉折及誤導，同時還能窺得諷刺越戰當時美國黑暗面的社會派面向。話雖如此，這個「影子」的故事，卻又一反其中心思想，書中隨處鑲嵌獨具一格的各種人物，以及饒富機智的台詞、敘事方式，在在呈現極度開朗明快的風格。

如此空前絕後的構思中，埋下堪稱「劫機手冊」的逼真情節，讓作品昇華成現實中可能發生的冒險小說，令人驚嘆不已。比方說犯人將犯罪痕跡丟棄到海中的順序：

桌子、七把折疊椅、六張充氣床墊、兩把海灘遮陽傘，攜帶式保冷箱、啤酒、冷飲、多餘的罐頭類。*

對，就像這樣，丟棄清單詳細到連數量都記載了。這個犯人準備之周全、以及執行過程的細膩描寫，都驚人地有趣。

當時我熟悉的冒險小說，主角有警官、軍人、政府調查員等，幾乎都是體制內的人，淨是一些遵循光等於善、影等於惡這種不成文規定，把法律秩序與正義描述為大義的作品。正因如此，對違法一方的正義加以美化的那些黑色小說，我都保持距離。這部作品也是違法一方的「陰影故事」，但卻有種難以言述的痛快

24 傑佛瑞．迪佛（Jeffery Deaver）：美國當代著名懸疑驚悚小說家，代表作為「神探萊姆系列」的《人骨拼圖》。——編注

* Lucien Nahum 著，中野圭二譯。《シャドー81》（*Shadow 81*）。新潮社，1977，頁 142。

感。陰影中，看得到希望的光。或許是因為，每個犯人不但不會傷害任何人，包括犯人本身，也貫徹了不流一滴血的態度。與其歸類於向來威脅人命的劫機小說，更接近鬥智的數字「騙局」。最後，因為犯人技巧之高超與神清氣爽的結局，讀者甚至會感到痛快淋漓。然後，甚至被那些犯人的動機及主張感動，沉浸於隱藏在堅不可摧的完全犯罪背後那種完全無關於「大義」的成就感，而這種情感，我不曾從黑色小說中體驗過。

如此傑作，卻因為新潮版絕版，「影子」的 MEME 斷了香火。不過，在二〇〇八年，這本一度化作幻影的小說，在早川文庫的復刻之下，再次出現在書店的光明裡。不僅如此，萬萬沒想到我能負責撰寫書腰上的推薦文案！

接下 MEME 的接力棒，面對新世代，我毫不猶豫寫下「生涯精選書單冠軍」。除此之外，我想不出任何推薦文案。

在我眼前，有一本二〇一二年剛四刷出爐的再版早川文庫版《劫持波音七四七》，我把早已翻得航髒破爛的新潮版初版（從舊書店再次購得的）排在新版旁。

TX75E（Shadow 81）是最高機密開發的戰鬥轟炸機，耐航時間極長。雖然相較於新潮版封面，它在早川版封面的飛行高度降低了一些，但此刻，它依舊在我的頭上翱翔。

（二〇一二年十一月）

《劫持波音七四七》

盧西恩．拿赫姆／著，聞煒、侯萍／中譯，輕舟出版社

改變了日本翻譯小說出版型態的劫機小說

劫機犯玩弄美國政府與軍方於股掌之上，精采奪取價值兩千萬美金的金塊。翻譯小說一開始就直接出版文庫版的這種作法[25]，現今已成為常態，但當初創下先例的正是這部小說。這部冒險小說拓展了日本翻譯小說迷的人數，也改變了出版型態。不僅如此，其創意與情節都無人能仿效。驚悚刺激、痛快淋漓的魅力，至今毫未褪色。

這世界是個小小故事（MEME）的集合體

《潛龍諜影：愛國者之槍》（メタルギアソリッド：ガンズオブザパトリオット）

伊藤計劃／著

今後應該還會出現許多創作者吧。對，就是那些小島製作人的「可怕的孩子[26]」。我也是小島製作人的可怕孩子。不，應該說我希望能有人這樣看待我，我也希望自己是如此。所以，你們也別畏懼，暢所欲言吧。

---

25 日本書籍可大分為「單行本」「文庫本」及「新書」，尺寸各自不同。新書主要為學術、學問、實用內容為主。以小說而言，一般會先出「單行本」，多為精裝，其中受歡迎的作品，以普及為目的，一～三年後再出版平裝、袖珍、價格實惠的「文庫本」。也有同時發行單行本及文庫本、或是一開始就出文庫本的例子，但並非主流。——譯注

26 典出尚・考克多的小說《可怕的孩子》。——譯注

——摘自伊藤計劃〈小島秀夫——吾等亡神時代的論神者〉（小島秀夫　我ら神亡き時代の神の語り手として）*

伊藤聰是最理解我創作物（MEME）的支持者之一，甚至大家會稱他為「小島基本教義派」。他以作家伊藤計劃之名出道之後，我們身為擁有共同嗜好的創作者，就成了相互尊敬的朋友。只是，二〇〇九年春天，眼看他的作家生涯正要大放異彩之時，他卻離世了。突然之間，我失去了一位傳承 MEME 的重要兒子，我的一位「可怕的孩子」。

伊藤過世一年半前，我委託他為我執筆《MGS4》遊戲的小說。當時並不是輕率找一個剛出道的作家，而是想找到一位跟我共享 MEME 的年輕有才華作家，使用不同於遊戲的媒體，為我編織出 MEME 的故事。

這是一個關於故事的故事，闡述了由我來撰寫《潛龍諜影》故事的意義；同時，它也是一個評論《潛龍諜影》的故事，告訴我們《潛龍諜影》的傳奇究竟是什麼、又如何象徵性地與我們生存這個世界的機制息息相關。**

* 取自 KONAMI The Truth behind METAL GEAR SOLID 特集 02 https://www.konami.com/mg/archive/mg25th/truth/issue_ito.html

** 伊藤計劃著。《メタルギアソリッド：ガンズオブザパトリオット》。角川書店，2010，頁 526。

伊藤完全沒讓我失望，把遊戲改編成小說時並沒有單純遵循故事或視覺表現。台詞幾乎都跟遊戲相同，除了最後一章以外，也刻意不追加新劇情。不過，卻以伊藤獨特的感性與誠實的運筆讓內容染上伊藤的風格，造就了一個精采的故事（MEME）。不管是《潛龍諜影》的玩家、非玩家，或是不知道《MGS》系列的人，都能同樣接收到 MEME。

那就是《潛龍諜影：愛國者之槍》這本小說的樣貌。

即使如此，我還是慶幸自己遇見了裸蛇。因為從跟裸蛇對戰的日子當中，我學會了人的生存意義。我領悟到，人藉由活下去，會將自己的人生刻畫進他人的生命裡。***

可以看出伊藤透過 Otacon（宅代）的發言，對讀者熱切傾訴。即使離開這個世界，伊藤的 MEME 將清晰刻畫在讀者心中。就連傳承他人的 MEME 這件事本身，也無疑是一種「生存」。

伊藤傳承了我的 MEME，而他身為闡述者所重新構築的《MGS4》，同

*** 出處同前，頁 520。

時也是伊藤自己的故事。伊藤對抗病魔的過程，和對《MGS4》的想法，與Otacon和雷電同步之後，誕生了這個故事。這是來不及留下基因的伊藤，針對MEME這個主題，透過MEME這個傳遞手段，以文字序列的形式，永遠留下的遺傳訊息（GENE）。

> **人生在世，不論何種形式，都是為了留在其他人的記憶中。人終將一死，但死亡並非敗北。（略）一個人成就之事的意義，將如山谷中的回音，透過一個又一個的個人流傳下去。***

即使這個叫做伊藤聰的肉體離世，名叫伊藤計劃的故事卻會一直活下去。正如由我發出的MEME，在伊藤少年裡生根，伊藤計劃迸裂的「MEME的種子」，也不斷往世界各地擴散中。那些種子當中，一定會再誕生出第二個伊藤計劃。

我今年將滿五十歲，在第一線創作，對體力的負擔也有些吃重。一般而言，或許差不多是安排接班人、思考退休的時機了。只是，從我手上接下棒子的人，

* 出處同前，頁 520。

卻早我一步離開了，我必須汲取伊藤的遺志（MEME）。也正因如此，今後我也會繼續闡述故事。因為，就像伊藤說的，這世界是個小小故事（MEME）的集合體。而繼續將這些故事流傳下去的重要性，正是我從伊藤那邊繼承的MEME。

人不會消滅。我們是一條河川，在故事闡述者心中流動，潺潺不絕。每一個人的存在，都同時有兩層面，一是物理性的肉體，二是讓人們講述流傳的故事。**

伊藤離世之後，我為了尋找新的MEME繼承人，開始在《達文西》執筆連載文章。跟人的生命一樣，連載也有結束的時候。但是，「我愛過的那些MEME」這個故事、以及在這裡介紹過的所有值得深愛的作品（MEME），跟伊藤計劃這個故事（MEME）一樣，應該都會永恆流傳。

伊藤聰成了小島秀夫、小島秀夫又回過頭來成為伊藤計劃，這個MEME帶給我們的奇蹟，即使我身為當事人，也無法不受其感動。

（二〇一三年一月）

** 出處同前，頁380。

《潛龍諜影：愛國者之槍》（メタルギア ソリッド：ガンズ オブ ザ パトリオット）

伊藤計劃／著，角川文庫

小島秀夫與伊藤計劃的 MEME 所交織出的雙股螺旋

在開完把遊戲改編小說的會議之後沒多久，伊藤就緊急住院了。他在病床上一口氣寫出這本書，說：「我是 Otacon，也是被改造、被綑縛在醫院中的雷電。」這部作品，伊藤選擇了能把自己投射其上的 Otacon 來負責闡述（MEME），一切就此定案。闡述者伊藤計劃，清晰地刻畫在本書裡。

讓心靈與精神接上下一個世代，就此從與孤獨之戰中獲得解放

《假面騎士一九七一〔彩色完全版〕BOX》石森章太郎／著

日本橋三越本店新館七樓藝廊前張貼了巨大的牆面海報。整張海報布滿歷代假面騎士的拼貼，騎士頭上寫有大大的「變身！」二字。許多父母帶著孩子，拿著手機在那裡進行拍照留念大會，絡繹不絕，每家的爸爸或兄弟紛紛在牆面海報前拍下各自的變身動作。這是為了慶祝誕生四十週年舉辦的《假面騎士展》，興致勃勃拍照留念的人，從四十多歲的父母，到還離不開娃娃車的幼兒都有，支持者年齡層廣泛，他們喜歡的對象涵蓋了從昭和到平成的假面騎士。我兒子喜歡的是《假面騎士 OOO》，我也讓他站在牆前，模仿沒有變身動作的舊一號說「變～身！」，然後按下 iPhone 快門。這時，透過觀景窗，我看到海報上的文案。

「是假面騎士，教我勇氣和正義。」

拍完照的人潮，大批大批湧入會場。不熟悉原作的年輕人都直接往前走，在這裡大致就依世代分道揚鑣，畢竟陪伴每個人度過童年、有特別情感的「假面騎士」都不一樣。而像我這種資深世代，看到展示於會場入口附近石森章太郎大師愛用的調色盤就會佇足。調色盤上還留有作畫時鮮明的顏料，我不由自主放開兒子的手，看旁邊彩色原稿看到入迷。那是在《我們週刊雜誌》（週刊ぼくらマガジン）連載當時的《假面騎士》手稿。它的分鏡、構圖、速度感都精采絕倫，而且美得讓人忍不住發出驚嘆。該怎麼說呢？介於漫畫與劇畫、歐漫（bandes dessinées）和日漫（manga）之間嗎？不，應該說那就是石森藝術吧。一回神，包括我兒子在內的平成騎士母子軍已經直直走到假面騎士服裝展示區，只剩下像我這種昭和世代，用欣羨的眼神凝視石森大師的漫畫原作。

就在那裡，睽違四十年，我看到了那神聖的一幕——那第一次變身的英勇之姿。用厚紙貼上的漫畫對話框裡寫著：

「大自然派我來守護人類和平，我是正義的戰士假面騎士！」

不同於電視版，《假面騎士》漫畫版中，石森大師的作家特質更為強烈（只有一號和二號會登場的第六話為止，才是石森大師親筆所繪）。最顯著的部分在於，電視版是一口氣變身，而漫畫版則是由騎士自己戴上假面，穿上騎士服。假面的意義，並不是一般英雄常用來隱藏真面目的方便道具，而是為了遮蔽每當憶起憤怒、悲傷時就會浮現的改造手術傷痕。

有一幕令人印象深刻的劇情，只有漫畫版才看得到（第三冊〈眼鏡蛇男的復活〉〔よみがえるコブラ男〕）。被迫成為改造人的本鄉猛，獨自在鏡子前悲嘆、痛苦掙扎，覺得自己的臉和身體都是替代品、不過是一種「假面」。

我是人，卻不是人。而且，能算是我同類的那些「怪物（賽博格）」，都注定成為我的敵人！在這個浩瀚的世界上，我永遠孑然一身！

但是，即使孑然一身，正因孑然一身，我必須戰鬥！因為「修卡」試圖操控這世界，而我是唯一能對抗他們的人!!*

* 石森章太郎著。《仮面ライダー②》。サンコミックス，1972，頁67-68。

被製造出來的怪物，感受到身為異形的孤獨與糾結。從撕心裂肺的孤立當中油然而生的使命感，那才是英雄不得不戴上假面的動機。

漫畫裡並不常用正義這個詞，較常出現的台詞是「為了守護和平與自然」。《假面騎士》在借用了勸善懲惡的構圖的同時，也試圖讓我們看見為了守護和平，雖千萬人吾往矣的勇氣。

而系列作品本身結構就是主角會交棒給下一個世代。在漫畫版中，一號本鄉猛在〈第四話 十三位假面騎士〉裡被打倒，一文字隼人繼承他的意志，成為二號騎士。騎士也可以藉由將心靈與精神傳給下一個世代，從與孤獨的戰鬥中解放自己。騎士連結了各個世代，身為讀者的我們，也從父母到子女，一代一代承傳下去。

電視節目強烈反映社會狀態，因此，持續了四十年的《假面騎士》，傳達的「正義」接力棒，顏色也隨著時代不停變化。

看完手稿，我再次牽起平成出生的兒子的手，反芻據稱是石森大師口頭禪的那句話：

「假面騎士是為了人類的未來而戰鬥。」

假面騎士曾經是「我們的英雄」，現在也成為我們「跨父子兩代的英雄」。

我跟兒子相互展示我們各自接下的不同顏色接力棒，朝未來踏出腳步。

（二〇一一年八月）

《假面騎士一九七一〔彩色完全版〕BOX》

（仮面ライダー１９７１《カラー完全版》BOX）

石森章太郎／著，復刊.com

彩色版完全復刻了
迄今僅只出版過一次的夢幻原稿

在《假面騎士展》中可親眼目睹，令人震懾無法動彈的漫畫版，現在以 B5 規格復刻。這份原稿過去只在《講談社彩色漫畫》（カラーコミックス）中出版過一次，在支持者間儼然傳說，可遇不可求，只能用「壓卷之作」來形容。不同於電視版，作品中孤軍奮戰的「異形之男」，他的悲傷與堅強，讓人不由得重新思考英雄的定義。此豪華珍藏版共兩冊，附別冊，合計九百頁。

也只能在「漂流」當中，尋找新的生存方式

《漂流教室》楳圖一雄／著，施凡／中譯

倘若物種存續才是生存本能，利己基因的任務已然達成。那麼，他們又為何要賭上性命求生還呢？

那是因為，在「生還」當中，存在著不屬於動物，而是屬於人的意志（MEME）。不僅是活著，而且要活著返回人的世界。為了讓超越本能、賭上性命的 MEME 流傳下去，而進行的挑戰，這才是生還吧。

這是我為了介紹吉村昭的《漂流》而寫下的文字。

三一一之後，現在我們面臨的不安狀況，屢屢被比喻為小松左京的《日本沈沒》。只不過，日本絕對不是「沉沒」了。更貼切的說法，應該是受到矚目的同時，卻也孤立於世界上，可謂處於「漂流」狀態。我們日本人也只能在漂流當

中，尋找新的生存方式。

在此想介紹一部能啟發我們的漫畫，就是恐怖漫畫的第一把交椅——楳圖一雄在一九七〇年代前半連載的《漂流教室》。

主角高松翔是小學六年級的男生，有天早上，他因為一些突發事件跟母親起了爭執，言不由衷丟下一句「我再也不回來了!!」，然後飛奔出去。到學校的瞬間，發生大地震，回過神來，學校已經孤立於一片荒涼沙漠之中。跟著學校一起被噴飛到異世界的八百六十二人，被迫在沒有水、食物、秩序的未來地帶「生存」下去。但是，原本該成為學童支柱的那些大人，卻受不了「常識的矛盾」而開始發狂，女老師發病暈倒、男老師因絕望企圖自殺、供應營養午餐的人試圖獨占食物、還有導師開始虐殺教師和學生。轉眼間，大人就幾乎全死光了。

剩下的幼小孩童，試圖生存下來，希望能生還回到自己原本的世界，宣示「以後，我們之間的暗語就定為『我到家了』！（略）好讓我們有動力，持續到那一天……可以說『我到家了』的那一天……期待那一天真的到來！」但是，危機卻逼近這些孩子、毫不留情。令人全身毛骨悚然的怪物來襲，傳染病、校內權力鬥爭和糧食爭奪戰相繼發生，危機內外夾攻。

總之，逼真的描寫極為駭人，令人難以相信這是一部少年漫畫。人面臨極限狀態時的面貌、怪物的造型等，不光是駭人而已，孩子們為了存活而盡力奮鬥，作者卻毫不留情將他們一個個殺死，而且還徹底逼讀者直視他們慘死的樣貌。滿滿跨頁的分鏡節奏緊湊，用恐怖電影式的嚇人方式迎面襲來，作者的安排讓讀者每翻上幾頁就會嚇到全身起雞皮疙瘩一次。到最後，樸圖獨特的描繪，使得極為普通的背景（沙漠、雨、洪水、懸崖、地下道、集中線[27]），看起來都很恐怖。不過，《漂流教室》最可怕的，既不是背景，也不是瘋狂的大人們、逼近的異形怪物或以黑白色調強調的絕望。最令人膽寒的，是那些孩子為了生存下來，變得比大人還冷靜、甚至化身怪物的那些舉動。到現在我還記得很清楚，主角得了盲腸炎，在沒有麻醉的情況下割除盲腸的那一幕。每次聽到盲腸這個詞，我就會想起那幕手術片段，然後希望自己絕對不要得盲腸炎。對我來說，它帶來的衝擊，遠超過《黑鷹計劃》中用手拉出股動脈的光景。

小時候，我很喜歡雨天的學校。當壞天氣垂下簾幕、籠罩學校，會讓我有種

27 漫畫中引導讀者視線集中的輻射狀線條。——譯注

錯覺，彷彿學校跟外界已完全隔離。微弱日光燈照明下，一如往常，老師和夥伴都在。學校本身，感覺化作一艘在黑暗中前進的太空船，不可思議的是，並不感覺寂寥。颱風時更是如此，我會幻想只有我們同一個學年的夥伴一起「漂流」的景象。並不是直接被送往大人準備好的社會，而是光靠小孩創造自己的世界（規則）。我很憧憬那種「漂流」式、討論已無意義的成長環境。因此，《漂流教室》於我，不僅僅是一部漫畫，它是跟儒勒．凡爾納的《十五少年漂流記》和威廉．高汀的《蒼蠅王》具有相同影響力的少年文學作品。書中訴說的，不是「生還」，而是「漂流」這個強烈的訊息。《漂流教室》是描繪與家人、朋友、文明、社會等現實世界的道別。

我曾經下過結論，說「所謂的『生還』，就是傳遞 MEME 的『故事』之一」。不過，也有「我回來了」無法成真的故事。在《漂流教室》的開端，的確「生還」是「生存」的動機，不過在最後，描繪出的勇氣與未來的樣貌，都和吉村昭的《漂流》並不相同。在如此結尾中，孩子們顯得神聖。經歷三一一之後，此時的台詞，深刻撼動讀者的心。

我們要回到原來的世界恐怕很難了!!(略)
這個世界出事了!全球陷入混亂的局面,變得亂七八糟!!
然而,只有我們活了下來!!(略)
我們正是被撒在未來播種的種子!!
這裡就是我們的世界!!*

或許,我們目前遭受考驗的「種族延續」,其實是與前一個時代切斷連結的一種新的生活方式(MEME)——名為「漂流」。

(二〇一二年九月)

* 楳圖一雄(楳図かずお)著,施凡譯。《漂流教室⑥》。尖端出版,2017,頁 323-326。

《BIG COMIC SPECIAL 楳圖一雄 perfection 八漂流教室》

（BIG COMIC SPECIAL 楳図かずおパーフェクション 8漂流教室）（全套共三冊）

楳圖一雄／著，小學館

將所有恐怖都畫進去的反烏托邦漫畫

楳圖一雄——恐怖與瘋狂的最佳表現者。這部作品可謂囊括了一切「恐怖」。小學生的屍體被畫得彷彿垃圾，每一個場景都極端殘酷，讀者卻會被那獨特的奇妙世界觀所吸引。此版本為完整版，收錄了第一次刊登在雜誌時的扉頁插畫[28]。由於印刷也相當鮮明，比文庫版更能享受到作家的描寫功力。[29]

讓我憶起恆久珍視事物的特別「diary」

《海街diary》吉田秋生／著，aitsae、許任駒／中譯

齊鳴眾蟬歸於寂靜之時，我總是會想起那個海邊城鎮。

我到大約三歲左右為止，是在神奈川辻堂度過的，離海很近，近到腳踏車一下子就會生鏽了。

我們常常全家一起出門去鎌倉、北鎌倉、江之島，還有挖蛤蠣、參觀大佛。之後，我們搬家到關西，不過我在一九九六年移居東京之後，曾多次帶著當時年紀還小的大兒子造訪那記憶中的海街。我們會從鎌倉搭江之電，到水族館看魚，

28 扉頁插畫（扉絵）：在漫畫中是指每篇開頭寫有篇名的那一頁。——譯注

29 此版本並未在台灣出版發行，但一九九六年時報文化曾出版《漂流教室》中文版，近期則是尖端出版於二〇一七年重新出版。——編注

登上江之島、吃新鮮的海鮮丼，在坡道上塞一嘴蒸豆沙包[30]，搭價格有如敲竹槓的電扶梯、在山頂的植物園散步、從洞窟那邊搭船返回，最後到車站前播放南方之星歌曲的喫茶店，我點咖啡，長男喝果汁。

我興起了想看看大白天月亮的念頭。

《海街 diary》是一部以鎌倉為舞台的青春群像劇，內容關於四姊妹及她們的家人。描繪的事件及小故事本身感覺隨處可見，但這部作品嘗試以漫畫手法挖掘在日常生活的另一側那些盤根錯節的事物，如家族情分、人際關係，還有青春及戀愛的本質。這部野心之作不是講述故事，而是以日記形式編織出家人的樣貌。

四姊妹中次女（佳乃）的男友，造訪她們位於極樂寺的家時，看到外婆留下的寬敞獨棟老房子，喃喃低語：

「感覺上塞滿了各種東西呢。」＊

＊ 吉田秋生著。《海街 diary ～蟬時雨のやむ頃～》。小学館，2007，頁 100。

對，這句台詞說中了這部作品的核心。四姊妹同住一個屋簷下，懷抱著各式各樣的問題，關係複雜。她們彼此衝突不斷，卻也同時守護著祖先傳下的房子、庭院、MEME，不斷摸索往後家人該有的樣貌，筆風熱鬧、滑稽、清新，完全是漫畫版向田邦子。

《海街》既不同於小說也不同於電影，是一部超越既往漫畫表現的作品。漫畫原本是把靜止畫沿時間軸排列而成，把靜止畫串連起來，創造出變遷與動感，將對話框及擬音詞視覺化來刺激聽覺。而這部作品不僅如此，更配上了獨白及鎌倉的美麗風景等，促使人在腦海中補全圖像及文字，使城鎮的氣味、溫度、表情，甚至眾人物的心象風景都立體浮現出來。

例如第一冊第一集，有一個場景是四女兒（鈴）想起過世的父親，第一次放聲大哭。這一幕實在太棒，僅僅三頁，就讓我落淚，深受吸引。首先是第五十八頁連續三格，描繪了鈴的雙眼、臉開始皺成一團的模樣，和她大哭大喊的半身鏡頭。接下來第五十九頁從上到下，是雙手覆面的鈴、靜靜注視同父異母妹妹

30 蒸し饅頭，傳統和菓子的一種。——譯注

（鈴）的姊姊們、和鈴的側臉，加上詩一般的獨白。

蟬聲彷彿傾盆大雨，卻掩蓋不過鈴激動的哭聲。*

翻到第六十頁：

這孩子今年夏天不知道在這裡哭了幾次。**

上面一欄是用刮網方式繪出的仲夏葉隙光，旁邊並排著嚎啕大哭的鈴，被孤獨框在單格中。一整頁散布著溫柔的手寫筆跡擬聲字「みーん（mi-n）[31]」。從中間到下方欄，鏡頭拉遠，連續三張，畫的是跟鈴相互依偎的四姊妹背影。第一格中，大女兒（幸）把手擱在鈴背上，在下一格把她環抱拉近，站在一旁的二女兒，也拉近距離，將手帕遞給鈴。

她一直自己一個人面對再也無法康復的爸爸。***

* 出處同前，頁 59。
** 出處同前，頁 60。
*** 出處同前。

眾蟬齊鳴中，她們的關係原本是三個人加上一個人，但畫格從一個個單獨的框，收聚成一個橫長方框，在此她們合而為四，從此鈴不再是一個人，而和她們成了四姊妹。原來如此，漫畫的分格和分鏡就是為了這個目的存在的！這正是吉田秋生別具一格的手法！就是如此敘情式的表現手法，把《海街》的層次提升了好幾個次元。

我想再回到那向陽的坡道。

鎌倉，這個海街裡有我童年時的坡道。隨著大兒子成長，我與它漸漸疏遠。神戶，是我的另一個向陽海街。如今返鄉一趟想起來就覺得累。失去的事物和不能失去的事物；會逐漸改變的和不能改變的；已忘卻的和不能忘卻的。《海街》是讓生活在大都會的我，憶起不變珍視事物的特別《diary》。

31　日文的蟬鳴聲。——譯注

回不了家的兩人，和再度返回根源的兩人。

夏季近尾聲，我跟二兒子一起去了葉山。電車經過鎌倉的時候，透過車窗，我得以俯瞰久違的海街。在那裡，我跟亡父過去一同嬉戲的海、以及跟年紀還小的大兒子一起造訪城鎮等屬於我的「diary」，如今猶在。我想跟終於可以一起出遠門的二兒子，在這裡重啟「海街 diary」。

（二〇一一年十一月）

《海街 diary》（1蟬鳴暫歇時、2白晝之月、3向陽的斜坡道、4無法歸去的2人、5群青、6四月的相遇、7那一天的晴空、8愛情與參拜、9我出發了）

吉田秋生／著，aitsae、許任駒／中譯，東立

細膩描寫住在鎌倉的四姊妹與周遭互動的傑作

念國中的鈴，母親早逝，現在又面臨父親過世。幸、佳乃和千佳，則是被鈴的母親搶走父親的同父異母姊姊。四姊妹第一次見面是在於山形縣舉辦的父親葬禮上，之後她們在鎌倉老房子開始同住。細膩描寫的鎌倉風景、配上四姊妹跟周遭人們紡出的緣分錯綜、交織。每每重讀，溫柔悽楚沁入心扉、熱淚盈眶。二〇一八年完結，全套共九冊。

在地球某處，有人與你共有相同的「孤獨」

《孤獨》克里斯多福．夏布特／著，劉厚妤／中譯

學生時代，我寫過一篇小說叫做《孤獨之塔》，舞台是泡沫經濟爆破前，所謂的昭和時代。在大阪車站前，一座世界首創的全自動控制巨型複合商業設施即將試營運。媒體招待日訂在平安夜，「我」，一個孤獨的大學生，受邀到完全由人工智慧操控的本館高塔大樓。「我」誤打誤撞參加了在頂層舉行的派對，竟然大意之下喝到爛醉。第二天早上，睜開眼睛，才發現自己一個人被關在建築物裡。從高層往下的電梯和室內安全梯都被鎖住，包覆在強化玻璃內的控制盤無法操作也無法破壞，對外的電話也撥不通。我嘗試點火，設法看能不能逃出這棟建築物，所有方法都遭到 AI 的阻擋。原本就孤獨的我，不久發現「逃離這裡又有什麼不同呢？這裡有水、有食物，還有現今最棒的環境與資訊、娛樂，什麼都不缺！」於是「我」放棄逃脫，決心留下來享受最先進設備和 AI 提供的豐足孤立生活。一年即將過去，「我」無意間眺望旁邊大樓窗內，察覺外面世界的異

狀……。

SOLITUDE n. f. 孤獨，陰性名詞。指一人獨自生活的狀況。或是形容荒野及與世隔絕地點的狀態。*

十二月的午休時間，在滿溢聖誕熱鬧氛圍的六本木書店中，我找到了名為「孤獨」的漫畫。那是一部法國作家畫的、名為《孤獨》的黑白歐漫。我受到吸引，拿起它打開第一頁。第一格是以強弱分明的筆觸畫的海面，浪花濺起之處，有一隻海鳥飛來。經過長距離渡海而來的海鳥，停止滑翔，在欄杆上休憩。高起四濺的浪花打擾了海鳥的安穩休憩，被飛濺的水花一噴，海鳥再度飛升到高空。一格一格連續迴旋，帶出超高空的俯瞰圖。接下來，在海上佇立著燈塔（Phallus）狀的「那座塔」。

「這正是那座《孤獨之塔》！」

我像抓文庫本一樣一把抓起那本大開本的《孤獨》，走向收銀台，付了帳，我性急地回到公司。為了不被打擾，我在職場工作區的門掛上「禁止進入」的牌

* 克里斯多福·夏布特（Christophe Chabouté）著，劉厚妤譯。《孤獨》（*Tout Seul*）。木馬文化出版，2021，頁182。

子，然後繼續讀起了序章。等到下班時間，我就帶著《孤獨》，去平時為專注思考企劃案時使用的公寓。然後，在獨處的情況下細細讀了第二遍。接著又在反芻前後中讀了第三遍。讀第三遍的時候，落下眼淚。

「這裡也有《孤獨》的人。」

收在我家抽屜裡將近三十年的小說《孤獨之塔》，和出生在亞爾薩斯地區的法國人描繪的漫畫《孤獨》，實在過於酷似。這眼淚，也近似對這件事的失笑。共同描繪的是，封閉在孤獨之殼空間裡交織出的另一個理想世界。一直把孤獨癖這個 GENE 藏住的我，因為接觸了法國輸入的另一個名為「孤獨」的 MEME，被迫察覺自己如今依舊一步都沒踏出「那座塔」。

SYNAPOMORPHIE n. f. 共衍徵，陰性名詞，生物學術語。後代衍生特徵（或稱　衍徵）出現兩個或兩個以上的物種，共衍徵只有經過專業科學團隊認證才能被承認。*

迎接平成時代，又誕生了繭居族和尼特族等新的「孤獨」詞彙。不過，孤獨

* 出處同前，頁 328。

也好、形單影隻也罷，都並不是特別的感覺，地球上某處，會有同樣擁有「孤獨」的人存在。我遇見了外部的「孤獨」，於是知道了跟內心孤獨和平相處的方式。我就此告別的，不是跟外界的爭鬥，而是名為孤獨的舒適感。

IMAGINATION n. f. 想像力，陰性名詞。人透過意象、虛幻或是感知型態來再現自我想法的能力。一種發明、創造、設計的心智能力。**

因為孤獨，所以我們會追求某些事物，也有些事物是因為孤獨才會衍生出來。當孤獨的人集合起來，孤獨一詞就會消失，漫畫主角「孤獨」所擁有的辭典，任務就此終結。

VOYAGE n. m. 旅行，陽性名詞。為了脫離「孤獨」進行的冒險。從一個人住的「塔」，跨出一步的嘗試。***

（二〇一一年三月）

** 出處同前，頁 v。
*** 部分文字出處同前，頁 226。

《孤獨》

克里斯多福．夏布特／著，劉厚妤／中譯，木馬文化

這種想像力的翱翔，只有歐漫的表現手法才做得到

身體畸形的男子「孤獨」在四面環海的燈塔出生、長大，從沒上過陸地。他生活中的娛樂就是翻閱辭典，看了辭典裡的詞彙，他想像出了什麼……？作者運用卓越繪畫能力，僅用黑線便勾勒出壓倒性的孤獨感。黑白單色世界，卻能讓人感受到鮮活的色彩、聲音及氣味，這豐富的想像力，大大震懾了我的心。

我對電梯最早的記憶是黑白的

《死刑台與電梯》路易・馬盧（Louis Malle）導演

我有生以來第一次被關在電梯裡。

事情發生在二〇一〇年，《潛龍諜影 和平先驅》發售紀念的世界巡迴之旅當中。在優衣庫紐約店的簽名會結束後，要移動到下一個會場，我們搭上貨梯，門關上就不動了。被關在裡面的有包括我在內的工作人員、當地優衣庫負責窗口、官方攝影隊，還有維安人員，共十三人。

擁擠的密室中，大家一直保持站立不動。原本對於這突發狀況樂在其中的開朗美國人，也漸漸開始焦慮不耐。不知道是誰，開始敲擊牆壁跟天花板。

最後我們竟然成功從內部靠自己的力量把門撬開了！不過，出現在門另一側的，是建築物的鐵壁！電梯正好停在樓層之間。動彈不得的封閉空間中，瀰漫著人在恐慌時會散發的那種酸性氣味。「我被關在電梯裡了！」在這種時候，你會聯想到什麼電梯電影呢？災難片的名作《火燒摩天樓》？正統動作片《捍衛戰警》？還是恐怖片《生人勿近》？人對於未知的經驗，無法預測應對方式，這時候只能仰仗以前看過的電梯事故新聞報導或電影。也就是，依聯想內容之不同，每個人害怕的程度也會不同。

「這樣下去我們該不會缺氧窒息吧？」跟我同行的祕書低聲一說，電梯內的氣氛瞬間大變。她是不是想起那種結局的電影呢？

至於我，則想起了一部電影——路易．馬盧在一九五七年第一次執導的《死刑台與電梯》。在我還小的時候，偶然電視播放，老爸硬逼我看，那光鮮亮麗的背德世界觀讓我大受衝擊。這部黑色電影，在我內心深深留下對法國人不正確的陰影。

在巴黎有一對相愛的男女談著婚外情，為了使這段禁忌之戀解套，兩人動手殺害擔任公司老闆的女方丈夫。不料，男方殺人並偽裝成自殺後，卻被困在殺人現場的公司電梯裡。如果無法在天亮前逃出，罪行就會露出破綻。男人心繫與女人的未來，拚命試圖逃脫。同時，共謀的女人則在城市裡徘徊，擔心著遲遲未在約定地點出現的男人。暗影密布的巴黎夜晚街道，配上車頭燈和香菸煙霧。唯一非白非黑的，是女人（珍妮．摩露飾演）那閃耀灰色光芒的陰鬱面容。電影前半幾乎沒有台詞，邁爾士．戴維斯即興演奏的小號樂音為影片添色。酷而有型的獨特影像，是過去電影前所未有的，正可說是新浪潮（La Nouvelle Vague）。而故事在另一對奔放情侶加入後，朝意外的方向發展。

由於這部是黑色電影，並沒有從法律執行方觀點來描寫。宣揚的既不是規範、也不是道德，而是以「我愛你（Je t'aime）」為名的正義。我看這部電影的時候還沒上小學，無法理解這個部分。話說回來，我第一次搭電梯是什麼時候？沒有明確的記憶。看電影當時，即使在都會區高層大樓也還很少，日常生活中應該幾乎沒有搭電梯的機會，所以，也不知道是看電影在先，還是實際上搭電梯在前。我最早對於電梯的記憶是黑白的。

在幾近陷入恐慌的電梯中想到這些事，我突然很想速速離開這裡，重新看一遍那部電影。

結果，一小時後，趕來的救援人員從天井降下梯子，我們平安獲救，簡直像是在不知道哪部電影中看過的拯救劇。大家都精疲力竭，卻高聲歡呼，慶幸平安無事。回國後，我買了《死刑台與電梯》的DVD，睽違四十多年重看了一遍，然後大感意外，因為印象截然不同。最後一幕，珍妮．摩露宣稱「誰都無法拆散我們」，這句強而有力的台詞，我無法不感同身受，也第一次察覺，這不是一部黑色電影，而是愛的頌歌。結果，我也一直被困在這部電影裡。人生中第一次困住我的電梯，那就是《死刑台與電梯》。

由於碰巧受困電梯中，我覺得，在我心中長期以來卡住的另一台「電梯」，終於動了起來。

（二〇一〇年一〇月）

《死刑台與電梯》

路易．馬盧／導演

珍妮．摩露堅定說出「誰都無法拆散我們」這部電影是愛的頌歌

殺害情婦之夫，偽裝成自殺，然後在咖啡店和情婦會合。一切都在完美計畫當中，但男子在為湮滅證據而回到現場的途中，被困在電梯裡，兩人的齒輪就此開始錯亂……。本片名留影史，是懸疑電影的金字塔。二〇一〇年改編日本版，由吉瀨美智子、阿部寬主演。

以Z字形攀登，橫越電影結尾的悲劇

《北峰》菲利普．史托徹／導演

一九三六年，柏林奧運舉辦在即。過去無人曾攀上艾格峰北坡，而納粹承諾將頒布金牌給第一批攀登者，試圖在政治上利用這些人，向世界宣示德國人的優秀。＊

暴風雪中，一群登山者緊緊攀附在艾格峰北坡，其中一人給另一人看自己因凍傷而僵硬的左臂：「我的手凍僵了，沒辦法彎。」

這一幕出自我在銀座的獨立戲院偶然看到的一部預告片。那就是我跟二〇一〇年印象最深刻的電影《北峰》的邂逅。

這是一部了不起的電影，可說是現在商業電影界已經不再製作的「有電影樣的電影」。竭盡所能不利用運鏡、CG、演出布局，僅淡然描繪大自然與人類。

＊ Nordwand. Dir. Philipp Stölzl. Perf. Benno Frmann, and Florian Lukas. 2008. Dor Film-West Produktionsgesellschaft.

以紀錄片風格聚焦絕望與希望的波濤中，隱約透出各種故事和訊息。這一切彷彿岩釘般，深深刺進人心。

《北峰》還有一個特徵，就是電影呈現的樣貌如山間天象，變化莫測。其實一開播，我就馬上得知，這部電影並不是看預告會以為的戰爭電影。主角東尼與安迪，並非為了納粹，完全是基於自己價值觀，決心挑戰那座死亡峭壁。他們為了攀登，先辭去了山地獵兵[32]的工作。不僅如此，他們沒有接受任何支援，備齊手製裝備，竟然騎自行車騎了七千公里（因為湊不到電車票錢）。在這個時間點，戰爭電影的霧靄消散，眼前出現山岳電影之姿。

到了烏雲罩頂的中段，原本電影主旨是描繪宏偉大自然與英雄內心掙扎的山岳電影，又轉為批判媒體的諷刺電影。

當他們的首度攀登被用作政治宣傳時，競相報導的媒體與登山者之間產生了極大的反差。

媒體人士懷抱觀光心情搭乘少女峰鐵路，而要登山的當事人，則是騎自行

32 山地獵兵：德國及奧地利軍隊中專門在高山和山地區域作戰的輕步兵。——編注

車、經歷幾次爆胎才抵達當地。當優雅的記者在暖氣舒適的飯店享受豪華晚餐時，疲憊不堪的登山者則在野外搭帳篷露宿，喝著用野外炊具煮的小麥湯。眾旁觀者在白天利用露台的望遠鏡觀賞攀登者，夜晚則身著燕尾服或晚禮服，大啖豪華套餐。同一時刻，在北坡暴風雪肆虐下，冒險者緊緊相依，冒著生命危險被迫野營。在觀看者與被觀看者之間，既沒有安全環扣也沒有登山繩。

出發後第四天。東尼等人受到惡劣天候阻礙，決定放棄攀登。當他們轉向下山，眾媒體的態度立即大變。

「見報是榮譽？下場悲慘」

「誰要讀平安下山的報導？淪為社會版」

在此，「諷刺電影」的狀況如雪崩般惡化，本片主旨落入悲劇的「遇難電影」。

過去也有各種根據事實改編的電影，但是，沒有一部遇難電影像這部如此沉重。這究竟是娛樂，還是史實？是惡夢？還是拷問？讓人想別過頭去逃走，呼吸困難，感到痛苦煎熬，無法再看下去。這是阿爾卑斯山攀登史上最大的悲劇吧！但是，即使如此也非看不可、非接受不可，因為這部電影是實際發生過的遇難「電影」。不過，這部電影並不單純是遇難事件的紀錄影像。在電影最後，已經為觀眾規劃好穿越悲劇的攀登路線了。

電影開頭，東尼是這麼說的：

「我想，在攀登岩壁前，應該會抬頭仰望山頂。」
「如此峭壁，怎麼可能爬得上去，一定辦不到。」
「但只要幾小時後，登頂往下俯瞰，就會忘記一切，」
「腦海裡浮現的，只有珍視的人。」＊

彷彿呼應般，東尼的戀人露易絲在結尾如此回答：

「只有愛著一個人的時刻，才是真正活著的時刻。」
「有時候，這個信念讓人很煎熬，」

＊出處同前。

「但我還是能感受到自己的生命，」

「那是因為我愛過。愛是生命的理由。」*

是的，這部遇難電影描繪了悲壯的死亡攀登，但以戀愛電影之姿收尾。艾格峰北坡吞噬了一切，唯一平安生還的只有觀眾，最後的最後，觀眾會明白下山的喜悅與生命的意義，同時，在此時另一個頂峰——「崇高的愛」便會進入視野。

（二〇一一年十一月）

* 出處同前。

《北峰》

菲利普・史托徹／導演

絕望與希望的波濤中，
隱約透出各種故事和訊息
這一切彷彿岩釘般，深深刺進人心

一九三六年夏天。年輕登山家東尼和安迪征服了一座又一座難以攻略的山頂。他們很清楚，自己接下來的挑戰跟即將開幕的柏林奧運一樣，都被納粹德國利用來宣揚國威，但是，他們還是決定進行這趟真正的冒險——嘗試從被稱為「死亡峭壁」的艾格峰北坡登頂。原本順利地越爬越高，卻遇上天候驟變，他們被逼得窮途末路……。這部山岳電影改編自歐洲阿爾卑斯山區令人震撼的真人真事。

第二章　某天，在某處，喜歡上的事物

初刊於《papyrus》（幻冬社）
二〇〇七年四月 Vol.11～二〇〇九年六月 Vol.24

神選的孤獨之人（God's Lonely Man）

《計程車司機》馬丁・史柯西斯／導演

孤獨總是對我緊追不捨，
無論我在哪裡。
酒吧、車裡、路上、店內，到哪裡都一樣。
無處可逃。
我是神選中的孤獨之人。

——野村伸昭譯＊

這是馬丁・史柯西斯導演在一九七六年製作的美國電影《計程車司機》中，勞勃・狄尼洛飾演的計程車司機崔維斯・比克爾（Travis Bickle）的部分獨白。

而我，也自小被孤獨感侵蝕至今。特別是十幾歲青春期格外嚴重。在熱鬧的大街、在學校、參加社團活動時皆是，不止夜晚，連大白天也一樣。雖然我不是

＊ Taxi Driver. Dir. Martin Scorsese. Perf. Robert De Niro, and Jodie Foster. 1976. Columbia Pictures.

崔維斯，但真是身在何處都感到孤獨。我並不是孤苦無依，有家人也有朋友，也不是住在無人島。在那個人際關係並不像現代如此淡薄的時代，我只是個住在平凡無奇城市的極其平凡無奇的少年，根本無從感受物理上的孤立感、或是大放異彩的孤高感。但即使如此，我內心依舊總是存在一種孤獨感，如未癒傷口般疼痛。

這種孤獨感絕不是只有獨處時才襲來。就算跟一群朋友嬉鬧的時候，開關也會突然切換，孤獨感撥開眾人，趁虛而入。群體中的孤立、喧囂中的孤獨。越是鑽進群體裡，孤獨的威力反而增強，不知為何，在整個都市歡欣熱鬧的歲末，那種痛楚會成反比達到巔峰。不知道多少夜晚，我懷疑「總有一天我會被這種孤獨病殺死」，不安與焦躁令我無法成眠。

但是，我卻有把自己關進孤獨，在裡面蝸居的傾向。面對身處孤獨的那個自己，我內心某處會感到某種安適平靜。當時，人類心理還沒有得到社會的關注與正視，在那個時代，因應 PTSD 或躁鬱症等的心理衛生知識也尚未普及。即使想找人商量，也不會被視為心理醫療層面的問題，而是會被當作文學範疇的問題來處理。正因如此，我的孤獨病求助無門。

這一切始於何時？究竟因何而起？我找不到明確的理由。或許跟國中時老爸突然過世有關，不過，我腦海浮現的原因是我小時候是「鑰匙兒」。一九七〇年代，正值經濟高度成長期，我家父母都在上班。我脖子上總是掛著毛線穿過的鑰匙，像狗牌一樣。在做單槓後翻上的時候，鑰匙很礙事，可是我從沒拿下來過。

身為鑰匙兒童，我記憶中從沒人來接我回家過。下雨也好、颱風也好、生病也好、受傷也罷，我總是一個人回家，然後用脖子上掛的鑰匙打開家門。回到空無一人的家，開鎖、第一個開燈的也是我自己。夏天開冷氣、冬天開暖爐的也是我自己。一片死寂的房間，跟有家人等著團聚的家截然不同。還曾經因為太寂寞了，在老媽梳妝台前哭泣，也曾經因為不想變成這樣，就到處亂晃、很晚才回家。

話雖如此，怕寂寞的鑰匙兒童不久之後也長了智慧，學會即席創造出假團圓的方法。我回到家會馬上打開每間房間的燈，然後開電視、轉大音量。並不是為了看電視，而是有東西分心就比較不寂寞了。這個習慣，現在長大了也沒變，我旅行或出差入住飯店，仍會馬上把所有室內燈打開，然後打開電視。入浴時、上床就寢時，也都會開著電視。或許幼時累積的鬱悶更強化了我的孤獨病。

青春時代，我耗費了相當多心力思考如何克服、超越這種孤獨感。然後，為了不讓人察覺我的孤獨，表面上我盡可能表現得活潑開朗。諷刺的是，這反而讓我的孤獨感雪上加霜。就是在這樣的情況下，邂逅了《計程車司機》。

那一瞬間，我覺得「這根本就是我的電影！」電影散發的濃重寂寥感令人悽然酸楚，充滿對世界的憤怒和對無法實現正義的焦躁。當然，當時的我，是個住在日本的平凡學生，既不是紐約的計程車司機，不會在早餐穀片裡加什麼白蘭地，也不會在約會時帶女朋友去看色情電影，當然更沒有試圖暗殺總統候選人。即使如此，我就是崔維斯。

故事始於海軍退伍軍人崔維斯因罹患失眠症，開始在紐約當起夜班計程車司機。崔維斯漫無目的地徘徊在這個垃圾場般的都會，透過他的雙眼，描繪出青年的孤獨與憤怒，描繪手法時而純粹、時而浪漫、時而暴力。保羅・許瑞德（Paul Schrader）令人驚嘆的腳本、史柯西斯紀錄片手法的演出布局、還有以狄尼洛為首，包括哈維・凱托、茱蒂・佛斯特、彼得・博伊爾，這些著名性格演員互飆演技，以及這部片成為遺作的伯納・赫曼（Bernard Herrmann）的音樂（主題曲流瀉著湯姆・史考特〔Tom Scott〕嗚咽般的中音薩克斯風，縹緲淒美）。《計程車司機》罕見地結合所有方面的傑出人才，堪稱代表七〇年代之名作。

不過，這部電影讓我感動落淚的，既不是故事、也不是演出布局或演員的演技。一切全是因為透過體驗這部片中崔維斯的孤獨，我得以獲知，世界上某個角落也有跟我一樣的同伴。

「覺得自己形單影隻的，並不是只有我一個人！」

有一個跟我一樣懷抱孤獨的人，今天也在世界上某個地方開著計程車四處徬徨。只要這樣想，我的孤寂就獲得了慰藉。

看完電影，我買了狄尼洛穿的短外套，穿著皮靴上街，模仿那有名的主視覺，兩手插進口袋、走路時弓著背。我覺得化作崔維斯，走在路上，彷彿有什麼就不一樣了。倒不是這部電影教導我如何跟孤獨戰鬥，而是崔維斯讓我學會了跟孤獨共處的方式。

經過了三十年，曾經病態似一直寄生在我身上的孤獨，如今已經消失得無影無蹤，彷彿從來不存在。那是每個人都會罹患的「青少年時期流感」嗎？我不再意識到孤獨，大概是從小孩出生之後吧。與其憂心自己的孤獨，更在意家人的現況、還有跟他們息息相關的社會未來，不知不覺間，我不再是崔維斯。而大概是開始創作遊戲後吧，我完全從孤獨感中解放。過於忙碌，無暇感覺孤獨，有時也或許才是正確答案。現在，全世界都有我不知道長相也不知道姓名的人在玩我創作的遊戲。當我領悟到這件事的瞬間，彷彿附體的靈魔離去般，孤獨也從我身體完全脫離、不留痕跡。渴望他人與孤獨感是不同的。人雖注定隻身出生、隻身死去，但只要活著，人就跟這世界緊緊相連。

每次坐進計程車，我都會看司機的名牌。或許在內心某處，我總是在尋找坐在駕駛座的崔維斯。當然，在現實世界裡，我從未找到 Travis Bickle 這個名字。崔維斯在電影中把十四歲少女艾莉絲從賣春組織拯救出來；電影外，他則把我從孤獨中拯救出來。正因如此，我希望有一天，在某處，我能夠攔下崔維斯開的計程車，然後從後座這樣跟他說：

「如果神創造了孤獨的人，那麼神也是孤獨的。」

「不需要運送孤獨，只要讓孤獨的人搭乘就好。」

「當明白眾人皆孤獨時，人就不再孤獨。」

（二〇〇七年四月）

與第三種表現型態「小說化」的邂逅

《神探可倫坡　第三終章》（刑事コロンボ　第三の終章），威廉．林克（William Link）、理查．萊文森（Richard Levinson）／著，野村光由／日譯

人生有各種邂逅，對象不限於人或土地，電影、音樂、書、戲劇或繪畫等，人或時代留下的作品亦如是。這個世界自古至今，人都因這些堪稱僥倖的邂逅，得到鼓舞、接受刺激，來維持生命。以我而言，要列舉出我賴以維生，並在這四十三年來支撐我的養分，依序是電影、音樂和小說。

拜熱愛電影的老爸之賜，我自懂事以來，一直半強迫半自願地持續攝取第一種養分「電影」。第二種養分「音樂」也一樣，自小就奠定了基礎。只要觀賞電影電視，不需特意努力，就聽得到音樂和電影配樂。所以，滋養我的三大養分中，我從小就已經習慣性地接觸電影和音樂。

我父母都出生於一九二六到一九三四年之間，那個世代，相較於電影和音樂，書籍更是普遍，很自然地，我們一家人都是書蟲，所以家裡的書堆積如山。

老爸、老媽、哥哥的房間都塞滿了各自喜歡的書，滿到書架或房間放不下的書就放在閣樓，那邊會出現真正的書蟲。不過，我卻是個完全不碰書的小孩，到小學高年級也一樣。在日常生活中，我完全不閱讀印刷物品。

父母看我這樣，非常憂心，不時會買來我可能會喜歡的《三劍客》、《十五少年漂流記》等童書堆在我桌上，結果並沒有人去翻閱書頁。遺憾的是，只有這第三種營養素「書籍」，若我不主動行動，就無法輕易攝取。

一九七四年，我升上小學五年級。我彷佛受當時的升學熱潮煽動，開始去補習。我並不特別喜歡學習，也沒打算參加中學考試。這個補習行程，是一週一次的小小冒險，搭公車再轉乘電車，花近一小時的時間到相鄰城鎮去。我記得，一開始因為能見到不同區域的朋友而覺得很開心，不過，不久之後就出現了真正的理由，促使我繼續去補習。

補習班在大阪府池田市，那邊有一間我家附近沒有的大型書店。一開始我並沒打算進去那間書店，大概是對於在陌生城鎮徘徊這種青春期小鬼常見的「青澀的裝大人」行為樂在其中吧。結果，討厭書的小學生哪裡都沒去成，偶然進去躲雨的，就是那間安全又溫暖的書店。

當時是接近聖誕節的歲末，我在書店入口附近的新書區找到一本對我睥睨而視的書，那就是我的命運之書，《神探可倫坡 第三終章》。書本封面使用了照片，於是我的目光受到了吸引，比文庫本大一些的新書尺寸也很新鮮，還有，腰帶般橘色的色塊很搶眼。《神探可倫坡》就是那部以著名台詞「我太太說……」風靡一時的外國影集。不同於過往的正統推理劇，總是一開始就知道犯人是誰。不過犯人從各界菁英到名流，淨是一些成功人士。故事由犯人的觀點描述，代表庶民的中年警探，則對犯人周詳計畫的完美犯罪緊追不捨，是一部將重心放在尋找不在場證明破綻及鬥智的影集。要跟年輕人說明的話，說是《古畑任三郎》的參考原型或許比較好懂。

《第三終章》是電影影集中第二十二集，而小說版（也就是我的命運之書）並非原著小說，而是將電視劇小說化。所謂的小說化，就是將電影或電視劇，參考劇本及影片寫成文字，改寫成小說。既非原著亦非影像作品，而是從影像衍生出的第三種表現形態。現在很盛行把動畫或遊戲改編小說，算是主流的手法，不過當時還處於黎明期，novelization（小說化）這個詞彙幾乎無人知曉，所以散發出一種特別的語感，這一點，對於當時那個討厭小說的小學生而言，也是一種魅力。

不過，這時我還沒看可倫坡的電視影集，我知道這個節目，不過並沒有特別感興趣。即使如此，我還是伸手拿起了那本封面封底用彼得・福克（Peter Falk）那張死氣沉沉的臉拼貼而成的《第三終章》。翻翻看，發現裡面竟然有劇中場景的黑白照片。這粗粒子黑白畫面更加刺激了我的想像力。我也沒去讀劇情概要等資料，我生平第一次，就這樣以自己的喜好選書，用自己的零用錢買了小說。我用顫抖的手翻著書頁，差不多每二十頁會穿插一張照片，我一心想看下一張照片，所以要自己努力讀到下張照片，對我而言，照片就像游泳時的換氣，所以討厭閱讀鉛字的我，也不覺得痛苦。換氣順利的話，就可以游個二十五公尺。能游完二十五公尺，就能游五十公尺甚至一公里。就這樣，不知不覺我能自然閱讀而不必意識換氣，開始能享受閱讀之樂。整本二六一頁，一口氣就讀完了，然後大感訝異。

「搞什麼！小說化作品，不，小說怎麼會這麼有趣！」

接下來我就瘋狂迷上可倫坡，後來也開始收看電視影集。

一回過神，我已經習慣在補習完回家前繞到那家書店。補習結束後，設法擺脫朋友，自己一個人進入那間跟車站方向相反的書店，泡在那裡。可能內心某處認定，佇立在書店的自己，已經成為大人世界的一員了吧。

從此我就愛上了書店這個獨特的場所。書店是資訊匯聚之處，只要逛一圈，就能瞬時掌握世界的動向，因此，直到現在，我還是盡可能每天去書店，盡可能排除困難維持這個習慣，因為書店對我而言，是一個邂逅的場所。

那段期間，我一直心繫書店和可倫坡。讀完已出版的第二季（當時有四冊）、第一季（八冊）之後，等下一本新作品等得心焦如焚。當時，可倫坡每個月只發行一冊，但我還是每星期都往書店跑。到這個地步，已經不知道主要目的到底在補習還是書店了。當然，補習的內容根本沒進到腦袋。不久，在等可倫坡新書期間，我的手開始伸向其他推理小說，我就是這樣在同一間書店邂逅阿嘉莎・克莉絲蒂和艾勒里・昆恩的。那就是我跟書的邂逅。這個邂逅幫我打開了通往懸疑、科幻、冒險小說、還有所有書本的門扉。

不知道如果那天，我沒有去鄰近城鎮的補習班，如果我沒有在那裡注意到《第三終章》，後來會如何呢？是不是到現在依舊不看書呢？如果是，可能就在對書中認識的許多人、時代、全世界各種故事一無所知的情況下活到現在。可能做的就不是現在這份工作，更別說幫像《papyrus》一類的文化雜誌寫稿了。話說回來，很怕寫文章的我，之所以會開始寫小說，原本就始於模仿小說化。興之所至，嘗試把腦海中的影像置換成文字（小說化），就是一切的開端。

《第三終章》對我來說，是將「書」這種最古老的媒體帶進我生命的「第三序章」。而《第三終章》的小說化，讓我學會了創作，以及將人生小說化的樂趣。製作遊戲、編寫故事、撰寫部落格以及這篇文稿，全都是人生的小說化。興之所至，將自己的人生樣貌化為字句、表現出來，或許就是現代瀟灑風雅的人生態度、人生的小說化。

（二〇〇七年六月）

名為電影解說員[1]的佈道者

《週日洋片劇場四十週年紀念　淀川長治的世界名片解說》（日曜洋画劇場40周年記念 淀川長治の名画解説）

「敬請期待下週節目。再見，再見，再見。」

客廳電視竟然傳來已故淀川長治的名台詞！睽違了將近十年吧？我聽見淀川先生輕鬆活潑的解說，以前他介紹過的電影、甚至青春時代的回憶，都一併如走馬燈般再度被喚醒，不知不覺中差點落淚。

配合席維斯史特龍擔任編劇、導演、主演的《洛基：勇者無懼》院線上映，電視也在《週日洋片劇場》播放了《洛基四：天下無敵》。在電影的前後，播放了以前（一九九五年九月十七日）播出的淀川解說。這是為了紀念《週日洋片劇場》四十週年，送給觀眾的一份開心禮物。　其實我最早接觸到洋片的地方並不

1　電影解說員（映画解説者）：在電視上播放電影時負責解說的人。——譯注

是電影院（順帶一提，我第一次看日本國片是在一九六六年，一次播放兩部，《大怪獸決鬥卡美拉對巴魯剛》〔大怪獣決闘ガメラ対バルゴン〕跟《大魔神》）。當時我三歲，既沒有DVD、錄影帶，也沒有衛星電視跟有線電視。洋片乘著類比式電視電波，來到我們的客廳。帶給我們這個契機的，就是《週日洋片劇場》。

《週日洋片劇場》（一九六七年四月九日起播，二〇一七年二月十二日播畢），會在電影開始和結束時，讓淀川長治以解說員的身分登場，介紹概要和精采部分，他們是第一個採取這種播放型態的節目。如果加上該節目的前身《週六洋片劇場》（一九六六年十月一日起播，一九六七年四月一日播畢），就是播放超過四十年的長青節目。現在雖然沒有解說的部分了，不過大家熟知的《潛龍諜影》Snake配音員大塚明夫，在他激昂的旁白中，節目至今健在。[2]

當時，年幼的我們透過電視，能夠輕易看到洋片。由於有日語配音，也不需要看字幕，當時還沒有錄影帶，所以錯過就看不到了。我們會在九點節目開始前，吃完飯洗好澡，然後全神貫注收看洋片劇場。也沒辦法在需要的時候按下暫停鍵，完全不是可以邊吃爆米花糖果餅乾邊看的氣氛。廁所也都忍到廣告才去，所以常常跟老爸、老哥展開廁所爭奪戰。一次廣告沒上到廁所，就得忍到下一次廣告，我們甚至會逼不得已得預先排好用廁所的順序。另外，當時我並不知道開頭的解說和結尾部分是預錄的，一直深信包括電影播放，都是現場轉播，還以為淀川先生也跟我們一樣，都得趁廣告的時候才去上廁所。

到底是什麼，讓幼小的我對洋片如此緊追不捨呢？現在回想起來，我覺得應該還是淀川先生那段安排在電影前後的「電影解說」吧。電影本身內容和業界情報無庸贅述，對於一個完全不懂專門術語、導演、演員、特別是外國情況的孩子而言，這些資訊比什麼都新鮮、珍貴。拜其所賜，即使是艱澀、恐怖、或是高深的電影，我都有辦法咀嚼下嚥。它的存在，就像在電影院買的電影場刊[3]，同時，解說者的陪伴也帶給我們一種安心感。所以，說我每週是為了聽淀川先生的解說而看洋片劇場也不誇張。對即將播放的電影，不具備任何知識，開始播放，

2 該節目於二〇一七年二月落幕。——譯注

3 電影場刊：日本電影院販售的小冊，內容有演員、工作人員基本資訊，甚至有演員訪談、現場花絮、劇照等。——譯注

聽了解說，才會知道是怎樣的電影，是一種被動式的觀賞。就這樣每次收看當中，自然而然記住電影片名和演員的相貌和名字，理解導演的演出布局，喜歡上作曲者的音樂，到了最後，連攝影師的運鏡都能理解。

有一張紀念週日洋片劇場四十週年的DVD，叫做《淀川長治的世界名片解說》，從過去播放過的電影中，精選收錄了多達五十部片的淀川解說。不論新舊，全是名片的解說，還加上特別贈禮，包括現存最早的解說《錦繡大地》的珍藏影片（一九七三年四月二十二日播映）、以及寶貴的最後一次演出——《終極悍將》解說（一九九八年十一月十五日播出）。特別是成為最後一集的《終極悍將》，淀川強忍身體不適錄影的樣子，任誰看了都會心疼不已。我看完DVD的感想是，片長達一三〇分鐘，完全不含電影片段，只有單純解說多達五十二部電影，內容卻饒富趣味。

從一九六〇年代後半，到錄影帶興起的八〇年代前半，是電視播放電影劇場的全盛期。首先是前述《週日洋片劇場》（朝日電視系）登場。接下來，是我非常喜愛的荻昌弘先生的《週一首映》（月曜ロードショー，TBS系／一九八七年改為週二播出）。時期上稍晚些，相繼又開始播出演員高島忠夫先生的《黃金洋片劇場》（ゴールデン洋画劇場，富士電視系／一九八一年起由週五改為週六播出，二〇〇六年起節目改為《週六精選鉅片》〔土曜プレミアム〕），還有水野晴郎先生的《週三首映》（日本電視系／一九八五年起改為週五播出），此節目就出現了大家耳熟能詳的「啊～電影真是不錯吧」以及尼尼．羅素（Nini Rosso）的小號樂曲。到了八〇年代後半，以一句「在你心中揮之不去的是什麼呢？」一風靡一世的美女解說員木村奈保子，她的《週四洋片劇場》（東京電視系）也博得相當的人氣。

回顧之下，會發現在那個時期，一週當中星期日、一、三、四、五，幾乎每天黃金時段都有電影播出，而且每個節目都有電影解說。這根本等於在電影院度日了，很難在生活中不看電影、對電影一無所知。

不僅如此，當時這些人都是電影解說員，跟影評人是不同的。就算職稱是影評人，在洋片劇場的時代，他們擔任的角色就完全是解說員。他們是讓我們能安心享受舶來品的領航員，不會評論內容細節，而是用淺顯的方式，為我們解說哪一國的什麼人抱持怎樣的心態創作了這部電影，這是當時所有電影解說員的立場。多虧他們，我才能吃下那些沒吃過的菜、原本討厭的菜、還有看外表就不敢吃的、看都沒看過的菜。所謂的「評論」，是在食用前識別其味；而「解說」，則是簡單整理出使用哪個地區的食材、怎樣的廚師、做出怎樣的菜。兩者差異很大。

時代變遷，如今洋片劇場和電影解說已經成為過去。許多電影解說員已過世，現在是DVD的時代，相較於赤裸裸公開幕後花絮或評論音軌（Audio Commentary），現在更傾向由導演、工作人員、演員直接談論自己的作品。

追本溯源，評論家也屬於製作方。細細咀嚼作品，利於身為觀眾的大眾消化吸收，這樣的行為才是評論。觀眾聽取他們這些文化人的意向或感想，來當作自己喜好的基準。正因如此，製作者會在意評論家的評價。票房是否成功，取決於評論家的評語。不過，這也是很久以前的事了。在網路的滲透之下，評論家的角色也產生了變化。如今，觀眾可以跳過評論這個步驟，透過電子布告欄及社群網站直接交換各自的感想。

如果我生在現在這個時代，青春期是在沒有名為「電影解說員」這種佈道者的時代度過的話，究竟我還會對電影這個媒體如此感興趣嗎？如果不是在那個極度缺乏娛樂的昭和時代誕生了那些節目，大費周章安排佈道者來對大眾介紹洋片，恐怕我也不會跟電影邂逅。而我之所以能夠透過電影，對異國文化及人們敞開心胸，也是拜淀川長治為首的這些佈道者之賜。

正因如此，我痛切感到現代也需要佈道者。在所有的時代，衣食住、文化、乃至於宗教，都有佈道者。不同的土地、不同的人種、在不同的時代，佈道者一路肩負了讓彼此之間邂逅的責任。新文化的種子，無法光靠原本的條件在不同土地生根，佈道者以毅力花費時間帶來獻身式的啟蒙，這是不可或缺的。

數位技術的進步及網路的誕生，讓世界連成一體。但在此同時，名為電影解說員的佈道者，卻在世界上消失了蹤跡。正因「解說者」如今不復存在，我想成為這個時代的佈道者。

在達到這個目標以前，無論如何，我都不能說「再見，再見，再見」。

（二〇〇七年八月）

家庭的偶像與肖像

《神仙家庭》和《草原上的小木屋》，還有《蠟筆小新》

人在「家庭」這個最小單位中出生長大，之後，以自己為中心，再創造新的家庭。彷彿細胞的新陳代謝，一個家庭會分裂、增殖、再生，然後超越時代。家庭這個哺乳類獨有的單位，誕生的理由，應該絕不僅是為了「確保品種繁衍」這種自然界的意圖。

以我而言，家庭裡有四個人，所以我的家庭單位是四。昭和五年生的雙親、大我兩歲的哥哥，還有我這個次子。我的雙親都是老么，他們各自離開老家，從東京到關西，轉換了幾個地方，之後於一九七〇年代，以兵庫縣一個新市鎮為新天地，築起只屬於自己的家，祖父母沒有同住。其實在我懂事的時候，祖父和外祖父都過世了，我們跟親戚沒有太多互動，因此連祖母外祖母都沒什麼見面的記憶，多少也跟雙方老家都距離遙遠有關吧，幾乎也沒什麼親戚來訪，在陌生土地新建的「家」，同時也是只屬於我們四個人的新「家庭」歷史的起始之地。

老爸生前，彷彿要掩飾離鄉背井的落寞般，常常這樣說：「爸媽的起點在這裡，你們的老家就在這裡，你們也把這裡當作起點就好。」

不惜貸款，也要在地價低廉的偏僻郊外買下一棟雖小但獨棟的房屋。沒比貓額頭大多少的狹窄院子裡設有狗屋，通常都養著柴犬或雜種的戶外犬（我家因為母親有氣喘，所以沒有養狗）。一家之主擁有自己房子的代價，就是每天被迫辛苦通勤到位於東京都心的公司。這就是當時庶民的夢想，也是昭和時代理想家庭的肖像。而我家無疑也在那個時代，作為一個流行的核心家庭，踏出自己的腳步。

創造「家庭」的設計圖，並沒有附加遺傳資訊，只能有樣學樣，因此，大家會需要家庭的樣本，需要針對可成為指標的家庭進行個案研究。

幼時的我，也有偷偷視為範本的「家庭」。雖然現實生活中，我周遭沒有機會接觸太多家庭，不過在電視和電影等娛樂當中，卻跟各種家庭有長久的深交。打開電視，就可以透過螢幕看到各式各樣的起居空間。人待在日本，就可以窺得全世界的「家庭」。

話雖如此，當時電視劇或卡通裡的家庭都還不是核心家庭，描繪的幾乎都是跟父母、親戚同住的大家族。

最典型的例子就是現在還在播出的長青節目《海螺小姐》（一九六六年起播）裡的磯野、河豚田一家。我小時候常看的向田邦子的電視劇《寺內貫太郎一家》也是。電視電影的主流總是大家庭，跟我家的情況截然不同，顯然核心家庭在國內媒體依舊是少數族群。

在這當中，我幼年時期第一次憧憬的「家庭」是海外的核心家庭，那個家庭就是在《神仙家庭》中登場的史蒂芬家（本劇一九六四起播，一九七二年播畢）。《神仙家庭》是在美國播出，日本也從一九六六年開始播出配音版，是一部老少咸宜的情境喜劇，風趣描繪迷人的仙女珊曼莎和在廣告公司工作的德林的生活，非常受歡迎。

我童年時看這部電視劇裡兩人甜蜜的生活，受到很大的衝擊。他們總之從早到晚都在接吻，不分時間地點都在反覆吟味「我愛你」。他們恩愛的模樣，連長女塔芭瑟和長男亞當出生後也未曾改變。想挑撥離間的安朵拉（珊曼莎的母親）和瑟琳娜（堂姊妹）輪流破壞他們的關係，但兩人不為所動，更加鶼鰈情深。他們離開父母身邊，人類和仙女互為異鄉人，他們卻憑藉自己的愛，建立只屬於自己的新家庭，這樣的姿態特別耀眼奪目。

先不論接吻次數，我的幼小心靈都覺得：「我想建立這樣的家庭，希望自己的家庭也這麼棒。」

到了少年時期，下一個我憧憬的是《草原上的小木屋》裡的核心家庭英格斯一家。《草原上的小木屋》是根據羅蘭．英格斯．懷德的自傳性小說製作的美國電視影集，日本是一九七五至一九八二年在ＮＨＫ播出，之後也重播過相當多次，非常受歡迎。

總之，裡面的父親查爾斯帥到不行。他對家人有奉獻無私的愛，為人勤勉而誠實，不輕言放棄、不以貧窮為恥，身懷真正的尊嚴，是個堅持正義、不屈不撓的男人。即使在貧困的環境下，還是收養了許多孩子，將他們教養成了不起的人。我每每欽佩感動於查爾斯對孩子們嚴格卻也寬容的教育精神。

「我想要一位這樣的父親！不對，我想成為這樣的父親！」

對於當時失去父親，家人單位減少為三的我而言，那個理想形象令我如癡如醉。《大草原之家》是西部開拓時代的故事。英格斯家也是在身無分文、赤手空拳的情況下從東部過來拓荒。在陌生土地扎根，從頭開始編織自己的家族史，或許英格斯家的樣貌，在我眼中跟搬到新興住宅區的小島家交疊了吧。

如此列舉我視為偶像的家庭樣貌，全都是外國的家庭樣貌。在海外，孩子成人後理所當然就會獨立。

孩子成家，就會離開原生家庭、開始自立。所謂的自立，是指經濟上和物理上都劃分為兩個家庭。但是，既往的日本老少咸宜電視劇，不知為何，都沒有投影出這種現代的家庭樣貌。因此，《海螺小姐》或日本國產的大家庭劇，總讓我覺得格格不入。

不過，進入二十一世紀，我馬上遇到讓我驚喜的家庭，「不是昭和家庭了，這才是平成家庭！」此時，我自己已經擁有家人單位是三的家庭。

這個深得我心的日本製家庭就是《蠟筆小新》的野原一家人（動畫於一九九二年起播）。

二〇〇一年，我偶然跟小學低年級的兒子看了《蠟筆小新：風起雲湧 猛烈！大人帝國的反擊》之後，我就瘋狂迷上了野原家。野原家是小新、妹妹向日葵、廣志和美伢，加上寵物狗小白的核心家庭。平時雖然很窩囊、吵架吵個不停，一旦家人遇到危機，連寵物狗小白都會團結一致，為了守護家人而豁出一切迎戰。小新的爸爸廣志好帥！媽媽美伢好強！重點不是平時說的話或態度，而是遇到危機時，能為家人付諸什麼行動，呈現了嶄新的家庭樣貌，特別是電影版中他們對家人的愛甚至令人感動。《哆啦 A夢》同為核心家庭，是這方面的前輩，但即使在電影版中，野比家也不曾為孩子們戰鬥。原惠一導演描繪的野原家是一種全新的家庭提案。

許多平成家庭都只有一個小孩，小島秀夫家也是，當時家人單位是三。三人家庭雖然當得了野比家，卻無法接近英格斯家或野原家。雖然家庭的重點不在人數，但三個人跟四個人，家庭構造和相互影響力、釋放出的總能量就是不同。《蠟筆小新》也絕對是向日葵出生後更精力充沛、更有趣。

次子出生之後，我的家庭增加為四人，終於符合昭和中期典型的核心家庭。只是，我向來總是將理想的家庭樣貌投射到電視劇或虛構作品上，在現實世界中，我至今還無法滿足於自己扮演的父親角色。身為一個工作狂，我就算能當廣志，但還沒達到我的目標——查爾斯。要到何時，我才能不仰仗偶像，而是靠自己留下現實的「家庭肖像」呢？而對於我家孩子，希望他們不同於我的「偶像崇拜」，能夠在人生中描繪出自己對於真實家庭的夢想。

如果家庭是社會的最小單位，那麼想改善這個世界，就必須人人各自珍視最小的單位——家庭。畢竟，世界是家庭的集合體。

（二〇〇七年十月）

初戀降臨之路～我愛過的友里安娜

《超人力霸王賽文》（ウルトラセブン）

我想任何人都有初戀的經驗，畢竟初戀是出生在這個世界上的第一次戀愛，是人要成人之際不可或缺的第一個通過儀禮。沒有初戀，就不可能有戀愛、失戀、結婚，還有離婚。不過，所謂的初戀，指的是哪一個階段呢？

是指在了解彼此人格的前提下，享受「體貼」心情，這種純熟時期的戀愛嗎？還是對異性開始產生些微興趣、一種稚拙而自我中心的憧憬，這就稱為初戀呢？如果這種粗暴的情感流露叫做初戀的話，我的第一次戀情，徵兆出現在僅僅四歲的時候。

一九六七年秋天，我遇見了一輩子忘不了的女性。只是，她並不存在於現實世界，而是虛構的電視劇登場人物。

那位女性就是友里安娜。《超人力霸王賽文》在一九六七年起播，一九六八年播畢，她是劇中超級警備隊的一點紅，由菱美百合子小姐（當時的名字是菱見百合子）飾演的安娜隊員。

我出生在圓谷製作公司的聖地祖師谷大藏，在當地車站前的幸野醫院呱呱墜地，拍攝哥吉拉和超人力霸王系列的砧製片廠（現東寶片廠）就近在眼前。到我兩歲為止，全家就住在祖師谷，據說當時片商常常在那一帶拍攝影片。祖師谷通、砧商店街、世田谷區立體育館等，我會被超人力霸王賽文吸引，或許也跟那些童年家鄉風景有關。

總之，賽文節目品質異常地好。媲美科幻電影的科幻考證、機械動作、戲服、甚至小道具，都在製作上非常講究細節。編劇以沖繩出身的金城哲夫、上原正三為中心，寫出的腳本主體性豐富，實相寺昭雄導演的演出布局相當前衛，成田亨經手的外星人和機器人設計精巧，再配上傲視全世界的圓谷製作特殊攝影技巧。以時代而言，賽文的世界觀、設計概念、全球化等，正好也跟七〇年舉辦的大阪萬博相當一致。賽文傳達給我的未來感，直接連上了萬博的主題「人類的進步與調和」。

一到週日晚上七點，我們這些喜歡怪獸的人，就會屏氣凝神圍在電視前。《賽文》跟《超人力霸王》一樣，開頭是大家熟悉的一連串「武田！武田！武田！」呼聲（武田藥品獨家贊助）。不過，驚人的是，開頭雖然一樣，節目風格卻跟《超人力霸王》迥然不同。《賽文》的主題是侵略，每集登場的不是怪獸，而是外星人。故事則是由日常演變至非日常的懸疑路線，有的故事因為太恐怖，我曾經看到一半就放棄，也出現過異星人完全沒露臉的匪夷所思故事。不僅如此，異星人每次侵略都有各式各樣政治因素及背景，背後描寫了戰後日本民族的樣貌，以及無法擺脫美日安保問題的國族主義等，內容沉重冷硬，幾乎讓前一部作品相形之下顯得輕佻膚淺。這部作品不把侵略視為災害，也並非單純的破壞，描寫的是異文化間的矛盾糾葛與戰爭。《賽文》可說是那個時代創作者注入靈魂之作，是只有那個時代才創作得出來的珍貴節目。

不過，正如當時所有其他孩子，我也對那些艱澀的主題不感興趣，至少在收看的當下如此。所有小孩迷的都是超人力霸王賽文、膠囊怪獸、異星人、超級警備隊的配備（飛鷹、指揮車、影片接收器）。跟《雷鳥神機隊》（一九六五起播，一九六六年播畢）相仿的超級警備隊出擊場景，怎麼看都帥。過了一陣子，隨著一集一集播出，越來越吸引我的，不是男主角而是隊員安娜。她不同於以往的花瓶女主角，劇中安娜的存在感，甚至比賽文和超級警備隊都強烈。她清新俏皮，有些瞬間又會露出酷而性感的一面，最重要的是，她的笑容有感染力。穿著超級警備隊制服或醫護人員白衣時就不用說了，連私下的裝扮都是六〇年代最新潮的時尚或泳裝。每次我都紅著臉、眼睛緊盯著螢幕不放，渾然不知那就是初戀。

當時，以四歲之齡，我領悟到對安娜隊員情感的異樣變化，是從第六集〈黑暗地帶〉開始，流浪外星人佩加薩星人出現的那一集。提到佩加薩星人，有一張很有名的劇照。在這張照片中，安娜隊員對著梳妝台整理頭髮，在她身後，佩加薩星人一副要撲向她的樣子，而安娜隊員渾然不覺。其實劇中並沒有這樣的場景，純粹是為了節目宣傳而拍的照片，不過怪獸圖鑑或雜誌常採用。除了「危險！安娜！後面有外星人！」的感情之外，在我內心還有另一種心情萌芽。每次看到那張照片，我一定會臉紅，當時自己也不知道為什麼會這樣，現在回想起來，或許那是我第一次對女性意識到是「女人」的瞬間。之後，每次在節目中看到安娜隊員，我開始會全身燥熱，那不就是我的初戀、所有戀愛的起源嗎？

遺憾的是，這樣的感情一直到完結篇〈史上最大的侵略（下）〉才豁然湧現，我不禁淚流不止。相較於賽文（也就是主角諸星彈）要離開地球的不捨或是節目要結束的失落感，更甚的是無法再見到安娜的酸楚心情。

告別「賽文」，進入七〇年代，我憧憬的菱美小姐改走電影《忘八武士道》（一九七三年）和電視《花花女郎》（プレイガール，一九七三年）等性感路線。當然，那個身為安娜迷的小男孩，沒有機會見到菱美小姐轉換跑道後的活躍之姿。我雖然買了二〇〇五年發行的《忘八武士道》DVD，但現在都還無法看到最後。電影很有趣，但我怎麼也無法直視菱美小姐大膽褪除衣衫的樣子。或許是因為在我心目中菱美百合子小姐是安娜隊員，我不想破壞童年憧憬的安娜的形象。

這樣的我，後來遇上了轉機。在一九九七年《賽文》誕生三十週年紀念之際，發行了菱美小姐的寫真集《給安娜的信。》，從這本寫真集開始，我終於能夠觀賞菱美小姐豐滿清新的裸體彩頁，然後我領悟了：「菱美小姐永遠都會是安娜本人，安娜隊員就是菱美小姐。我喜歡的初戀情人是安娜隊員、也是菱美百合子本人。」

接下來，讀了《給安娜的信。》，我那孩子氣的心情就輕易地消散了。裡面刊登了各方業界人士寫給「安娜隊員」的情書，感情直白而深厚。全日本竟然有這麼多愛過她的男孩和男人，而大家現在也都依舊迷戀她。從那個瞬間開始，我在每一次受訪時，都這樣回答：

「我初戀的對象是安娜隊員。」

押井守導演最新作品多段式電影《真．女立食師列傳》在六本木舉行首映會。我朋友神山健治是其中一個故事的導演。重要的是，第一個故事〈金魚公主玳瑁糖的有理小姐〉（金魚姫　鼈甲飴の有理），是由菱美百合子小姐睽違三十二年擔綱主角，而且據說菱美小姐本人會蒞臨現場跟大家見面！「這怎麼能不看?!怎麼能不去?!」

說什麼我都想見安娜隊員一面，於是我寄了一封郵件拜託神山先生。

「拜託你設法在上台致詞的空檔時間幫我介紹菱美小姐！」

首映會當天，放下擴音器的押井導演，也在台上致詞時害羞告白：「安娜隊員是我憧憬的對象。」押井先生那感觸萬千的一句話，不知為何讓我滿腔熱血。原本我應該用自己的話向本人表白的，不過感覺已經由押井先生替我說出來，有種莫名的安心感。遺憾的是，在休息室打個招呼的心願沒有實現，但經過四十年歲月，我見到了初戀情人。我初戀的女性確確實實存在，不是虛構的故事人物，而是以一位實際存在的女性身分。菱美百合子小姐現在仍然是魅力十足的安娜，一點也沒有改變。那個迷人笑容依舊健在。

《超人力霸王賽文X》這個節目開始於《賽文》誕生四十週年的秋天，四十四歲的我，懷抱著感激之情，寫下該在四十年前投遞的給安娜的信（情書）。

我的初戀降臨之路。沿著這條路折返，在這條路的起點，至今依舊找得到安娜。

（二〇〇七年十二月）

漫畫！マンガ！MANGA！～某天、某夜的故事

《2001 夜物語 原型版》星野之宣／著[4]

眼前有鍵盤。現在我希望你輸入まんが（MANGA 的平假名）這個單字，然後試著變換文字。來，電腦螢幕上出現的是什麼文字呢？漫画？マンガ（MANGA 的片假名）？還是 MANGA 呢？是的，你應該會驚訝，同樣是まんが，只是將文字變換為漢字、片假名或英文字母，まんが一詞的含意也會產生變化。[5]

現在可能連想像都想像不到，漫畫在從前是沒有時間感的。戰前的「漫画」以諷刺漫畫為主流，而且不是單格，就是四格漫畫。像現在這種一格一格連續下去的形式，在戰後才開始出現，因此當時，「漫画」連故事都沒有。有故事的「漫画」，要等到現代漫畫之祖手塚治蟲登場之後才定型。

沒多久「マンガ」成為反映各種作家特質和社會狀況的大眾娛樂，不知不覺中成長為凌駕於小說之上的次文化。之後，「少年マンガ」與目標群是成人的

「劇畫」及「少女漫画」匯流，成為涵蓋範圍更廣的「マンガ」文化、朝世界前進。「マンガ」跨越了海洋，在異國深獲好評，不久成為「MANGA」。

現在回想起來，我小時候幾乎不看漫畫週刊雜誌。我記得我會買《我們》跟《冒險王》這種紙質相較較佳、彩頁也多的月刊，不過週刊就幾乎完全不會買來看，因為我不喜歡週刊那種特殊的紙質。話說回來，週刊原本就是看完就丟的東西，所以應該是刻意選用再生紙，不過，我小時候就是不喜歡週刊的紙質，特別討厭紅、綠、橘、黃那些鮮豔的顏色。偶爾會在理髮店、大眾食堂、醫院候診室看到放著的週刊被人翻閱得變色變髒、破破爛爛，甚至會讓我心生厭惡。基於這

---

4 《2001夜物語》於台灣並未出版原型版，但尖端出版曾於一九九六年出版全三冊的一般版中譯。——編注

5 依據作者後文的區分大致分類，まんが（MANGA的平假名）含括一般人直覺認為的漫畫；或者指稱適讀對象通常為孩童者。漫画（漢字）適讀對象較偏成人，並經歷過篇幅與內容的變化。マンガ（片假名）為廣範圍的總稱，含括了各種不同對象與性別讀者適讀的作品，而MANGA則更加有全球跨地域的意義。為保留作者欲透過符號轉換表達的不同感受，故保留不同日文詞彙。——編注

些理由，我盡量不看週刊的連載，都等幾個月後發行單行本再買來看。永久保存版的單行本經過統整和補充內容，裝訂又精美，才是我心目中的「マンガ」。這種習慣直到現在我邁入中高齡也沒變。

至於我跟「マンガ」最初的邂逅，記憶中應該是《虎面人》或《小拳王》這些梶原一騎原作的毅力型運動選手漫畫吧。在我幼年期，是沒有人不迷的，上了小學後，一方面也受特殊攝影節目的影響，我的興趣完全轉移到英雄作品上。特別是石之森章太郎（當時叫石森章太郎）的《人造人009》和《假面騎士》，我完全深陷其中、不可自拔。同時，搞笑漫畫《天才妙老爹》（二〇〇七年誕生四十週年）也著迷了一陣子，到了現在這個年紀，我還可以閉著眼畫出裡面的爸爸。後來上了國中，由於《宇宙戰艦大和號》的緣故，我迷上了松本零士。《銀河鐵道999》、《俺是男人》（男おいどん）等，我買齊了松本作品全套，覺得心滿意足。我想這個時期我大概在教科書跟筆記本角落畫滿了梅德爾[6]。升上高中後，我迷上的是寺澤武一那部風格不太像日本人的作品《眼鏡蛇》。因為太常描眼鏡蛇的圖，單行本的頁緣都沾上了鉛筆的碳粉變成黑色。到了大學，我的喜好變成熟了，傾心的對象是大友克洋、西岸良平、坂口尚，和板橋秀豐。

大學畢業後，我成為社會人士，進了遊戲業界。那年夏天，因為通勤太辛苦，我開始在神戶岡本租屋住下。這是我人生第一次獨居，三餐當然都外食，每天輪流去炸豬排店或定食屋。出乎意料的是，在這樣的生活中，我開始閱讀以前嫌棄得不得了的漫畫雜誌，而且不是少年週刊雜誌，而是《Big Comic》等青年漫畫雜誌。邊扒著蓋飯，我遇見了浦澤直樹及弘兼憲史等才能出眾的新興漫畫家，而在此同一時期，由於獨居的契機，我還遇見了另一位漫畫能人。

租屋當時，我從老家帶來的物品只有床、音響和機車三樣（冰箱和洗衣機原本就有）。就算偶爾早點回到家，房裡連電視也沒有，要消磨時間頂多只能戴耳機聽聽音樂。特別怕寂寞的我睡不著，每晚都出門在附近散步。第一年夏天連冷氣都沒有，有時候熱到根本沒辦法待在室內。我住在位於阪急岡本站和ＪＲ（當時是國鐵）攝津本山站之間的高層公寓，在靠岡本站和攝津本山站附近分別有幾間書店奇蹟式地開到很晚。當時便利超商還不像現在一樣普遍，我像是夏夜被電燈吸引的飛蟲，常常泡在書店裡。就是在這樣的情況下，我遇到了此生無法忘懷

6 梅德爾（メーテル）：銀河鐵道999的女主角。——編注

的漫畫。

我為了忘卻寂寞而進入小書店，眼光停留在書架上一本漫畫的書名，因為那個標題讓我聯想到喜歡的電影。那個無法入眠的仲夏之夜，我從書架上抽出那部漫畫迅速翻閱，那就是星野之宣的《2001 夜物語》。

總之我受到很大的衝擊。《2001 夜物語》與其說是「まんが」，不如更適合說是寫給大人的硬科幻作品。精采的不僅是精緻的畫風、設計品味以及電影式的構圖等，其硬派且毫不馬虎的內容也令人大為驚艷。《2001 夜物語》，具備了艾西莫夫的科學考證、克拉克的抒情特色、海萊因的英雄主義、以及雷·布萊伯利的奇幻色彩。

「世界上竟然還有這種類型的『マンガ』！」在我心中應該幾乎忘卻的科幻魂又再次燃起。

從此，我到處找星野先生的漫畫來讀。當時也不像現在有網拍，為了尋找星野先生的蹤跡，我繞遍了動漫周邊商品店及舊書店。

星野先生的作品是娛樂，同時也是藝術、是哲學。他發表作品的園地從熱銷幾百萬部的週刊漫畫雜誌，轉為較為小眾的月刊雜誌，仍舊氣宇軒昂地繼續連載，星野先生這種崇高的姿態，在當時深深打動了我。

當時家用遊戲機為主流，而我在不起眼處打造非主流市場遊戲，或許我將星野先生投射在自己身上了。

日本漫畫能以「MANGA」之姿遍及世界，並不只能歸功於各方面都由編輯部主導方向的商業漫畫，無疑是因為背後還有星野先生及諸星大二郎（令人意外的是兩位都在JUMP得過手塚獎）這些孤高作家腳踏實地的創作活動。

如今，提到代表日本的文化輸出，往往會列舉MANGA和遊戲。漫畫經歷了「漫画」變成「マンガ」再變成「MANGA」這種騰跳、跨跳、躍跳[7]的過程，完成了高度的飛躍。另一方面，「COMPUTER GAME」在日本成了「電視遊戲」，然後再以「VIDEO GAME」之姿，滲透了美國遊戲業大蕭條[8]後的世界。不過，國內的遊戲（ゲーム）就是遊戲；在海外亦然，「GAME」依舊是

---

7 騰跳、跨跳、躍跳：三級跳遠的起跳動作流程。其中躍跳的英文即為jump。——譯注

8 美國遊戲業大蕭條（Video game crash of 1983，日文：アタリショック）是指發生在一九八二年美國年終商戰中的家用電子遊戲機滯銷。——原書注

「GAME」。

為何來自日本的遊戲無法成為「MANGA」呢？這恐怕是因為電視遊戲至今依舊是市場導向商品的緣故。

「マンガ」打破了「まんが是給小孩看的」這種區隔及規範，當中有些作品甚至達到藝術或哲學的領域。星野先生的「MANGA」是一部既非小說亦非電影、只有「MANGA」才能表現的獨一無二作品。正因如此，才能獲得世界水準的「MANGA」這個稱號。

而星野先生的《2001夜物語》原型版（共上下兩冊），光文社竟然以A4的大開本出版。還沒看過的人，務必希望能接觸一下。我希望大家能夠感受到，漫畫書當中有些作品不僅僅是消費性產品，有些作品會深植人心、會讓你想一輩子珍藏流傳下去。

睽違二十年的《2001夜物語》，我面前正放著它的原型版書籍。不可思議的是，它帶給我無限的勇氣，一如當初那個夏天的夜晚。

星野先生單憑著紙筆描繪出僅僅二十個夜晚的故事，卻凌駕了當時理當不可能贏過的歐美電影鉅作《二〇〇一太空漫遊》，也顛覆了既往漫畫界仰賴商業漫畫的常識。

雖然我覺得這份肯定來得實在太遲了，不過星野先生解開了日本文化詛咒的束縛，把「マンガ」拱上更高一層的「MANGA」，對這份偉業，我除了敬佩還是敬佩。

此刻，我把手指放在電腦鍵盤上。我在思考，接下來該把「げいむ[9]」變換成怎樣的文字。是正向積極的「藝夢」，還是負向消極的「迎無」[10]，又或者，依舊維持「テレビゲーム」（電視遊戲）的原貌呢？

看來，我的「失眠夜晚的故事」還無法完結。

（二〇〇八年二月）

---

9 GEIMU 的平假名，音同「ゲーム（遊戲）」。——譯注

10 藝夢、迎無：日文發音均可寫成 GEIMU。——編注

大眾會夢見銀翼殺手嗎？

《銀翼殺手》，雷利．史考特／導演

「亂七八糟……令人不寒而慄……簡直就是混亂的代名詞。」（紐約時報評論）

「簡直是拍成科幻片的情色電影——有的只是羶腥聳動、毫無精神可言。」（The State and Columbia Record newspapers 評論）

這是近三十年前，某電影上映後當下得到的部分評論。究竟是怎樣的電影，竟會被批判得如此辛辣、體無完膚？只看這些評論，任誰都一定會產生興趣。只是，得知片名之後，恐怕疑問就會轉為憤慨了。

這部電影，就是現在被視為靠片[11]，在全世界擁有鐵粉，給予之後影像創作者莫大影響的科幻電影金字塔——《銀翼殺手》。它在我心目中永遠維持在生涯精選排行榜前十名，是我特別鍾愛的電影之一。跟許多創意人一樣，我也認為如果沒有遇上這部電影，就沒有現在的我。《銀翼殺手》既不同於夢想、也不同於虛構故事，它將帶有現實感的未來圖像具象化了。

如今《銀翼殺手》受到全世界肯定，意外的是，並沒有太多人知道它上映當時的種種淒慘事蹟。前述那些評論家的影評就不用說了，當時偏好溫馨娛樂電影的觀眾，對艱澀灰暗的《銀翼殺手》反應相當冷淡，導致票房連製作費的一半都無法回收，以慘痛失敗收場。它太激進、太富哲理，當時的大眾還無法跟上。票房慘淡的情況，在比美國晚一週上映的日本也一樣，導致上映沒多久就下片了，因此，當時在我周遭，看過《銀翼殺手》的人少之又少。畢竟是還沒有網路的時代，我沒有機會跟任何人分享看完《銀翼殺手》的興奮。即使如此，隨著錄影帶普及，這部電影異於《星際大戰》、《星際爭霸戰》等太空歌劇科幻片，擁有一種特別存在的地位，也漸漸為眾人所接受。喜歡的人，就會沉浸在無邊無際的陶醉裡，是一部很挑觀眾、好惡兩極化的電影，無疑是靠片先驅。不知何時開始，愛好者之間把《銀翼殺手》簡稱為《銀殺》。

11 靠片（cult movie）：又稱 cult 片、邪典電影。——譯注

《銀殺》上映於一九八二年夏天，我當時大一。可能因為不是敲鑼打鼓大肆宣傳的電影，上映時滿冷清的。在空位醒目的大阪梅田電影院裡，我獨自看了《銀殺》。我被電影震懾了半晌，當時少數在電影院觀看《銀殺》的人當中，很多人都如此感受。與其說是故事或主題，不如說是那種未來感令我顫慄。明明是大鍋菜式的混亂世界，卻完全不會帶來任何不快感。它不同於近未來科幻常見的荒廢或頹廢，也沒有黑色電影特有的寂寥感。不知道為什麼，《銀殺》的世界洋溢著生命力。街道、車輛、人們的穿著打扮、招牌，甚至一些小東西，在巧妙的設計下，將合理性與科技完美融合，毫無突兀之處。不僅跨地區或國家、也跨越了時間的文化，一切共存於一處，充滿協調之美。就連令人感受到生與死的陰影，似乎也閃閃發光。我想在這樣的城市居住看看，如果這是未來的樣貌，我想生活看看。如果世界如此，我願意活下去！在《二〇〇一太空漫遊》以後，本片是我第一次不因角色，而因電影的世界觀就如此心生敬畏。對我而言，《銀殺》創造出的異世界，雖然創新，同時卻又貼近我懷念的心象風景。

二〇〇七年，為慶祝《銀殺》二十五週年，發售了頂級的特別版 DVD。配合 DVD，同時也發售了幾項《銀殺》的周邊商品。我買了五張一組的 DVD、三張一組的CD紀念盤、還有追加了最終剪輯版的部分內容再重新編輯的創作紀實書。最後我還重讀菲利普・狄克所寫的《銀翼殺手》小說作為收尾，自己熱熱鬧鬧辦了一場《銀殺》電影節。

此外，為紀念DVD上市，院線還上映了《銀翼殺手　最終剪輯版》。國內只限定在大阪的梅田Burg 7和新宿Wald 9上映。我在電影院看《銀殺》的經驗，也只有上映當時，還有幾年後在京都跟《魔鬼終結者》兩部買套票一起看，這次恐怕會是名副其實的「最終」電影院觀賞機會吧。當時正值《潛龍諜影4》製作期間，我幾乎難以抽身，不過在這個狀況下，還是一咬牙騰出時間，去了新宿的Wald 9。

Wald 9是座影城，正如其名，有九個影廳，分別輪番上映各種電影。售票集中在一處，我試著對售票小姐說：「我要一張銀殺。」「啊？」小姐沒聽懂，有禮地反問我。看來《銀殺》這個說法果然並沒滲透到年輕的她腦海裡。於是我指著上映表跟第五廳，再重複一次：「我要一張銀殺。」她終於懂了。拿到票，我打起精神前往第五廳。

電影院裡坐滿了跟我一樣三、四十多歲的《銀殺》影迷。有從公司下班過來的上班族、一看就是黑道幫派的人、還有看起來還沒完全擺脫御宅族風貌的中年人。當時還十幾二十歲的人，現在也步入壯年，還是多少散發出帶有某種程度社會性的威嚴。也有少數不明就裡被那些《銀殺》世代帶來的年輕女性。不知道為什麼，完全聽不到談話或咳嗽聲，就連情侶也保持沉默。開演前，廳內有一股看其他電影時不會有的獨特緊張氣氛，每個人都靜靜凝視著前方還沒映出任何影像的銀幕，有份類似短跑或 F1 賽車開賽前的寂靜，然後，《最終剪輯版》，《銀殺》的最終上映就開始了。

《銀殺》的片名標準字一浮現，廳內大家齊聲發出嘆息。在暢快緊張感中，一百一十七分鐘彷彿瞬間流逝。

主角戴克撿起掉在地上的獨角獸，電梯門關上。片尾字幕在范吉利斯（Vangelis）那首曲子中流移，電影結束。我激動萬分，腦中還迴盪著羅伊・巴蒂（Roy Batty）最終的台詞。最終剪輯版的播映已然完結，但在我心中，電影還繼續上演著。不過，當燈光亮起，觀眾卻沉默地走向出口，沒有拍手、沒有喝采。我有點熱能無處可宣洩的錯愕，從來沒遇過如此安靜的離場，我不得已也只好加入沉默的人流。我離開影廳，準備搭電梯而停下了腳步，電梯前站滿了人，觀眾熱烈談笑的樣子映入眼簾，《銀殺》一詞此起彼落，我這才發現，他們並不是在等電梯。雖然沒有販售電影場刊，但在電梯間上方貼有最終剪輯版的電影廳卡[12]。大家用觀賞美術館作品的眼光緊盯著那些廳卡，沒有人要搭電梯，每個人各自反芻著《銀殺》。

原來大家都愛《銀殺》！

我這輩子從來沒有像這樣被《銀殺》的影迷環繞過。我跟不知姓名的《銀殺》影迷共度了一段幸福至極的時光。《銀殺》有好幾個版本，坦白說，什麼版本都無所謂。我對於未公開影像和數位修復都沒有太大的興趣，那些影像其實都在錄影帶和DVD裡看到膩了。最重要的是，在這個時代，我在電影院跟喜歡《銀殺》的夥伴共享了《銀殺》，在二十五年前這是不可能的，這才是最感動之處。這才是我的《最終剪輯版》。

出了電影院，正好下起小雨，秋雨中帶著熱氣，還保留了幾分暖意。迷濛細

---

12 廳卡（lobby card）：一種電影宣傳品，將電影劇照印製成小張海報，數張為一組，張貼在櫥窗或戲院前，從中可看到角色影像、劇情場景及劇組資訊等。——編注

雨織成的銀幕映出櫛比鱗次高樓大廈屹立的姿態，在那身影下方，各國語言的霓虹燈閃爍著繽紛的色彩。遠方傳來警笛聲、異國的語言、還有謾罵叫囂。此時，幾個年輕人嘴裡塞著垃圾食物，一邊呼喊一邊騎著腳踏車在步道上呼嘯而過。我踏出一步，站上街道。這裡並不是原本的新宿，而是狄克、雷利・史考特、還有二十五年前那一九八二年的我們所夢想的二〇一九年的洛杉磯，伸手可及。

仰望天空，我深吸了一口氣，我聞到《銀殺》的味道。抬手觸碰這個城市，是《銀殺》的觸感。我把腳踩進不久前才形成的水窪，有《銀殺》的體溫。

我們是否現在也還在夢中？

（二〇〇八年四月）

大和與浪漫的碎片

《宇宙戰艦大和號》

使我執著於「浪漫」一詞的契機，是眾人皆知的那部動畫作品——一九七四到一九七五年播放的《宇宙戰艦大和號》。

枉費這把年紀，我還是會被夢想和浪漫等詞句吸引。當然，夢想和浪漫並沒有固定的形貌，並不是存在現世的物質，因此，再怎麼追求，都無法入手。既沒有人看過它的真面目，就算試著翻開睽違十年改訂後的廣辭苑大辭典，也無法領會其真理，因為它就跟人自古以來創造出的各種神祇一樣，是人為了在未來的世界存活而創造出的概念。即使如此，我仍然會追求夢想和浪漫這種曖昧模糊的東西，就算無法觸及，只要有目標，人就能活下去。夢想和浪漫，等於男人的尊嚴，也就是「男人的浪漫」。

使我執著於「浪漫」一詞的契機，是眾人皆知的那部動畫作品——《宇宙戰艦大和號》。之後製作成電影，引發空前的大和熱潮，是一部改變既往動畫走向的革命性作品。沒有《大和號》，應該就不會有後來集全世界注目於一身的日本動畫，也不會產生以製作動畫為生計的動畫產業，包括我在內、受《大和號》影響的這些目前持續創作的創作者也不會誕生吧。《宇宙戰艦大和號》，就是催生了後續的動畫熱潮、商品企劃，與御宅文化的動畫流行先鋒。

我跟《大和號》的邂逅，總伴隨著亡父的記憶一同甦醒。老爸出生於昭和五年（一九三〇），經歷過二次大戰敗戰，在東京大轟炸的劫火中倖存下來。在他服兵役之前戰爭就結束了，所以他免於出征，但其實老爸年輕時很憧憬海軍。老爸特別愛喝酒，手指又靈巧，所以常常邊組戰艦模型邊喝酒。浴室裡有讓小孩放玩具的岸上船塢，裡面放了好幾艘大和號戰艦的殘骸。

有一天，老爸在電視節目表發現了「大和」的字樣。

「秀夫，大和號戰艦的電視劇要開始了，你過來看！」

家父強制把電視轉台。他很兇，我完全沒有反抗的餘地。當時是一九七四年十月六日，就這樣，小學五年級的我奇蹟式地收看了《大和》的第一集。

話雖如此，對我這個小學生而言，第一集的內容實在太乏味了。那一集末尾終於短暫閃過大和號戰艦的影子，但和作品同名的飛天宇宙戰艦大和號的英姿，卻不見任何蹤跡。就這樣，我從下一週開始，就背著老爸，偷偷轉台到跟《大和》同一時段的《猿人軍團》（猿の軍団）。不知道全國有多少客廳如此，在跟《猿人軍團》、《小天使》這些同時段人氣節目的競爭下，《大和》的收視率不佳，沒有達成當初預定的三十九集目標，共播出二十六集就結束了，從此《大和》就從我記憶中完全消失。

不過，《大和》並沒有一直沉在海底，它獲得了重播的機會，重新浮出海面。不知什麼時候開始，我家養成了晚餐時看讀賣電視台重播動畫的習慣。電視台每次都重播《魔投手》，我已經厭倦了，在這種情況下，我再度遇見《大和》，重新對它產生了正面評價。

之後我也看了很多次《大和》的重播，怎麼看都不膩，越看越感受到《大和》的魅力。不久，班上甚至出現了用相機拍下電視畫面或用錄音機錄下聲音的人。漸漸地，雖然速度緩慢，在我周遭每個人都迷上了《大和》，而《大和》在電視播放的三年後，由於電影版上映而爆紅。

在老爸早逝的那個一九七七年夏天，失去一家支柱的絕望中聽到的好消息，就是《大和》電影版上映的新聞（東京舉行電影版首映的八月七日，正值老爸告別式的日子）。老爸死後，我在家服喪了一陣子，為了辦理過世後各種手續，順便跟老媽去了梅田，回程我買了電影預售票，還附贈海報。我回到家把海報貼在房間牆上，看了劇中角色斯塔夏的臉多次。我不能一直耿耿於懷，裹足不前。面對新學期，為了撐過未來的日子，國中二年級的少年也需要浪漫。

我永遠忘不了電影在關西上映的首日。我飛奔進早上第一班電車，一個人前往梅田新道的東映 Palace。暑假氣候還很炎熱，我從梅田地下街走上路面時馬上就注意到奇異的景象。我這輩子沒看過這麼長的隊伍，在馬路和人行道上蜿蜒，看不到盡頭。瞇起眼用力看，電影院還在遙遠的彼方，要找隊伍末尾也費了很大一番功夫。電影院發布的消息像玩傳話遊戲似的，從前方一個一個傳過來。實在來了太多觀眾，還有人徹夜排隊，為了消化人群，首映居然要提前到早上，最後事情演變成「電影會播映多場，請觀眾別擔心！」結果，我沒有拿到聽說會按排隊先後順序贈送的賽璐珞原畫，不過我不在乎。我已經親身感受到《大和》現象了，我知道，在那個漩渦中我不是獨自一人。炎熱天氣下等了幾個小時，可能等到第三輪吧，我終於在瀰漫汗酸味的滿座電影院裡看了《大和》，在那裡，我又見到了沖田艦長、古代進、森雪、戴斯拉等角色，然後，在老爸死後，我終於第一次接受了熱愛大和的「老爸的死」。

《大和》的魅力何在？一言以蔽之，或許還是「浪漫」吧。在漆黑的宇宙、未知的外太空中，唯一的一艘船肩負著人類存亡前行，前往誰也沒看過的伊斯坎達爾，路程長達十四萬八千光年，距離遠到無法想像。主角必須取回能去除輻射能的宇宙清洗器D，不但一切都是未知，而且距地球滅亡只剩不到一年的時限。他們肩負重大使命，必須對留在地球上的人負責，使命必達，否則人類只有滅亡一途。《大和》的故事與承諾有關，同時也是穿梭於宇宙汪洋中的冒險記，當中可以找到近年我們逐漸失去的浪漫。

在《大和》動畫誕生的時代，日本人追求浪漫，當時浪漫比金錢更有價值。同樣大受歡迎的《機動戰士鋼彈》或《新世紀福音戰士》就沒有像《大和》一樣蘊含「男人的浪漫」，這跟創作者的時代感有關。經歷過戰爭並存活到戰後的作家所懷抱的扭曲反戰態度、對武器的憧憬、富武士道精神的戰鬥、浪漫的傳承……融合成為《大和》。從開戰到戰敗、從一片焦土的荒蕪到經濟高度成長，在這漩渦中存活下來的那些男人，大戰的影響深深殘留在他們的意志中。《大和》或許是經歷戰敗的父母，說給孩子們聽的另一個「大和」的故事。

《大和》的主題曲（片頭曲與片尾曲）頻繁使用了「浪漫」一詞：

「拯救地球 肩負使命 戰鬥的男人 燃燒的浪漫」

「踏上旅程的男人 心中渴望的是浪漫的碎片」

「遠行的男人 眼瞳中永遠需要映照浪漫」

擔任作詞的是昭和詩人阿久悠。仔細觀察就可以發現，「男人」和「浪漫」必然成對出現，是讓人感受到海上男兒和昭和浪漫的歌詞，令人感佩。

二〇〇八年，電視版《大和》的DVD-BOX發售初版限量版，是紀念《大和》誕生三十週年製作的ＨＤ復刻版，還附一套宇宙戰艦大和號的七百分之一模型組。我想趁這個機會再一次好好享受《大和》的樂趣。

近年來年輕人和成人都漸漸不抱持夢想、不去感受浪漫了。原本從太古時代生態系就不存在夢想和浪漫，倒也沒什麼值得困擾的，夢想和浪漫甚至會阻礙現實。當大家都作此想，不管在日常或是虛構作品中，夢想和浪漫都因不符現實的藉口而遭封印。夢想和浪漫這兩個字眼，就在默契中遭現代社會廢棄。

但我認為，即使如此，對於無法到手的事物就予以切割，認清現實如此，這樣真的會比較好嗎?就算身陷谷底,依然直視前方、相信明天,這種近乎純真的強烈慾望,也就是即使認為不可能,依舊勇敢挑戰,人不就是從這些地方感受到浪漫的嗎?

不論任何時代,夢想和浪漫從來都不是能簡單到手的東西。夢想和浪漫不就像是從地面望見的太陽,即使清楚知道遙不可及,還是會繼續追求的存在嗎?也正因如此,唯有那些心無旁騖、無怨無悔持續追求的人,才能讓浪漫棲息於胸中,不是嗎?

每當我幾乎要看不見夢想與浪漫,或是幾乎要放棄夢想與浪漫的時候,我就會哼起《宇宙戰艦大和號》的片尾曲〈鮮紅的領巾〉,然後,隨著在漆黑汪洋中航行「大和號」的背影,名為浪漫的勇氣就會自然湧現:

「踏上旅程的男人
心中渴望的是浪漫的碎片」

——阿久悠作詞 宮川泰作曲

(二〇〇八年六月)

JOY DIVISION 與那些日子（THESE DAYS）

JOY DIVISION

行走　在沉默中
別悄然離去

——〈ATMOSPHERE〉JOY DIVISION 一九八〇年[13]

對我而言，五月十八日是個特別的日子。五月十八日是已故伊恩・柯蒂斯（Ian Curtis）的忌日。伊恩・柯蒂斯是曼徹斯特孕育出的傳奇性非主流樂團 JOY DIVISION（中譯：歡樂分隊）的主唱。一九八〇年，在原本夢想的全美巡迴演唱的前一天，伊恩・柯蒂斯終結了自己的性命，得年二十三歲。

每當有人問我最喜歡哪個樂團，我絕對會回答 JOY DIVISION。然後，問我最愛的專輯，我會毫不猶豫舉出他們的第二張專輯《Closer》。對我而言，JOY DIVISION 的意義不單單在於樂團或音樂。該說是靈魂的共有嗎？音樂、歌詞、視覺風格、生活方式及精神，甚至生死觀，我都深受其影響，即使現在伊恩過世、樂團已消失，依舊如此。在人生感到痛苦、快要迷失自我、或是因工作消沉的時候，我一定會聽 JOY DIVISION；就連晴空萬里的大白天，我也會定期聽伊恩的歌聲，也聽他們的節奏與旋律。聽他們的音樂，並不會像聽一般樂團那樣可以振奮精神，也不是想隨著輕快節奏擺動身體來發洩壓力。我只是藉由陶醉在他們崇高而陰鬱到危險程度的世界中，來重新確認自己的歸屬之地。JOY DIVISION 對我而言，是共享對孤獨與死亡的畏懼、甚至憂鬱狀態的慰藉。正如信徒每逢週日就會到教會聽講道、愛書人一再翻閱已經快磨破的愛書、喜歡藝術的蒐藏家每天早上凝望喜歡的繪畫般，我並不會覺得興奮或得到勇氣，也不會哭笑或感動。有一個永遠靜止的空白場所，叫做 JOY DIVISION，回到那塊空白之中的行為，對我而言就是 JOY DIVISION 的意義。

JOY DIVISION 失去堪稱門面的主唱之後，團員把團名改成 NEW ORDER，之後成功克服悲劇陰霾。諷刺的是，以伊恩之死為主題的歌曲〈藍色星期一〉（*Blue Monday*）驚人地轟動，之後，如眾所周知，NEW ORDER 名揚四海，在主

---

13 摘錄自歌詞開頭部分。——編注

流樂團中奠定不可動搖的地位，至今依舊活躍在樂壇上。

遺憾的是，我開始聽 JOY DIVISION，是在伊恩過世一陣子之後。我第一次得知 JOY DIVISION 的名號，來自 Tears for Fears 樂團的第一張專輯的日本版專輯內頁，由山田道成所寫的一段解說文章：「他們形成現在樂風的契機，源自活躍於八〇年代前後的 JOY DIVISION。JOY DIVISION 以如今已過世的伊恩・柯蒂斯為中心，喜愛此風格的內行人無不熟悉此傳奇樂團。」我想是一九八三年吧，NEW ORDER 的〈藍色星期一〉在日本也同時大賣，我也正好得知 NEW ORDER 的存在。不確定哪一個先，拜〈藍色星期一〉流行之賜，雖然布陣稍遲，其前身樂團 JOY DIVISION 的各張專輯也在日本發售。我的黑膠唱片或十二英寸單曲黑膠都是日本版，所以大概都是這個時期買的。不可思議的是，我完全深陷 JOY DIVISION 之中，但對於當下風靡一世的 NEW ORDER 卻沒有太大的興趣。我一直要到幾年後的專輯《Low-Life》（一九八五年）的時候才喜歡上 NEW ORDER。

大學時代是我人生中最黑暗的時期。我無法完全放棄拍攝電影的夢想，卻也踏不進去，每天都在苦悶中有氣無力度過，學生生活了無生命力，彷彿行屍走肉一般。我沒有商量對象，連一個理解自己的人都沒有。在這種情況下，我遇見了 JOY DIVISION 的伊恩，還有《二十歲的原點》（二十歳の原点）的作者高野悅子。他們都不在人世了，兩位都是年紀輕輕就結束自己性命的逝者。當時的我，相較於在活著的群眾中感受絕望的孤獨，更偏好跟死者訴說無法傳遞的對話。比起無法相互理解的現世，我選擇了享有相同理解的逝者。那段在 JOY DIVISION 陪伴下生活的日子，我與遙遠彼方的死者對話，才勉強留在生者的這一側。對我而言 JOY DIVISION 就是不會開口回應我的商量對象，同時也是救命恩人，所以是別有意義的樂團。

如此特別的 JOY DIVISION，在二十五年後再度引發熱潮，重回江湖。一切來自一部電影，荷蘭攝影師安東・寇班（Anton Corbijn）第一次執導的長篇電影《控制》上映。《控制》是以黑白影像描寫伊恩・柯蒂斯從青年世代到自殺的傳記性作品。它是伊恩的電影，同時也是 JOY DIVISION 的電影。因為這部片上映，JOY DIVISION 在世間的曝光率倏然提高。我身為資深歌迷，雖然高興，卻也手忙腳亂。我買了《控制》的原聲帶，Paul Smith 和《控制》聯名的 T 恤也買了，安東・寇班的限量攝影集《IN CONTROL》和嘉蒂亞・魯吉（KATJA RUGE）

的攝影集《FOTOREPORTAGE23: IN SEARCH OF IAN CURTIS》也都買了。伊恩的遺孀黛博拉（Deborah Curtis）執筆的亡夫傳記《遙遠的觸摸》（Touching From A Distance），我以前買來就擱在一旁，現在也拿出來讀了。我還買齊了重新發行的官方專輯數位修復珍藏版《Unknown Pleasures》、《Closer》，以及官方稀有精選輯《Still》。趁此機會發行的雙CD完全精選輯《The Best Of Joy Division》也成功加入我的蒐集行列。另外，還有只在英國發售的兩張一組黑膠唱片《JOY DIVISION: MARTIN HANNETT'S PERSONAL MIXES》、《JOY DIVISON: LET THE MOVIE BEGIN》也透過科樂美（KONAMI）倫敦分公司的人脈關係，奇蹟式入手。

走在澀谷街頭，看得到《控制》的主視覺設計，進入CD店，會聽到JOY DIVISION的音樂。在書店，設有JOY DIVISION相關書籍的專區，電影院則播放著JOY DIVISION相關預告片。街頭巷尾遍布JOY DIVISION，儼然JOY DIVISION音樂節。我身為歌迷真覺得幸運，從來沒想過會有這麼一天。藉此機會，希望更多人、特別是年輕世代聽聽他們的音樂，知道JOY DIVISION這個消逝樂團的存在，感受一下伊恩這位年輕早逝的纖細敏感男子。

而這場音樂節的壓軸安排，就是在伊恩忌日上映 JOY DIVISION 的同名紀錄片電影《JOY DIVISION》（格蘭特．吉〔Grant Gee〕導演）。

經過包括《JOY DIVISION》電影在內的一連串系列活動之後，我的腦海重新浮現了一個疑問：應該在年輕時離世而成為永恆嗎？抑或該力求長壽，即使醜態畢露，也讓周遭看見自己繼續奮鬥的姿態？哪一方才是真正的傳說？哪一方才是真正的英雄？前述紀錄片中，有一些場景拍攝了 NEW ORDER 團員露臉述說親身經歷，現在的他們雖然過著富裕生活，但相對地，肉體已老去、精神上也已疲弊。電影結尾中現今他們演奏 JOY DIVISION 曲子的模樣，和過去伊恩生前與他們同在的樣貌交錯出現，無法切割為單純「過去與現在的對比」或「JOY DIVISION 和 NEW ORDER 的變遷」，對歌迷而言也是心痛如絞的蒙太奇。老後依舊持續音樂活動才是傳說嗎？看著那部電影的結尾，奇妙的感覺迎面襲來。是否伊恩的死，才是 JOY DIVISION 的魅力呢？

在接觸到 JOY DIVISION 的時期最接近死亡的那位孤獨青年，後來也留在這世上，一回神今年要滿四十五歲了（二〇〇八年當下）。就算醜態畢露，也要繼續活下去、也要繼續戰鬥下去，這應該是失去伊恩的樂團成員與相關人士，以及我們這些深受他死亡影響的人，所剩的唯一選項吧。即使如此，我還是時時感到迷惘。選擇死亡、讓時間停駐，還是選擇活著、任時間侵蝕自己。即使現在，我依舊沒有答案，也正因如此，這二十五年來，我不斷聽著 JOY DIVISION。

伊恩・柯蒂斯的墓碑上，刻著公認為 JOY DIVISION 最高傑作單曲的曲名。

希望有一天，我可以前去造訪他位於麥克爾斯菲爾德的墓地。

「IAN CURTIS 18-5-80 LOVE WILL TEAR US APART」

（二〇〇八年八月）

島耕作與老爸們的職銜

《社長島耕作》，弘兼憲史／著

前幾天，品川區恆星球大廳（Stellar Ball）舉行了一間電機製造商的總經理就任記者會。記者會不僅登上網頁及網路新聞，連報紙電視都以頭條大大報導了一番。為什麼這場記者會如此轟動？

這間因公布新總經理就任的消息而在媒體備受矚目的控股公司名叫「初芝五洋控股集團」。怎麼樣？是不是在哪裡聽過？

初芝五洋控股集團是大型家電製造商初芝電器產業為了業務整合併購五洋電機而設立的全新控股公司。聽到初芝電器產業，或許有人發現端倪了吧。對，初芝就是那號人物所屬的公司。報導中就任新公司總經理的那個人，他就是日本最有名的上班族，所有上班族老爸的英雄——島耕作（六十歲）。即使平時不太看漫畫的人，應該也聽過島耕作這個名字。

島耕作是弘兼憲史在一九八三年從《課長島耕作》開始連載的長青漫畫主

角。今年（二〇〇八）這部作品邁入誕生二十五週年，從課長、部長、取締役、常務、專務[14]，一路平步青雲的那個島耕作，終於登上社長寶座！本文開頭敘述的一陣騷動就是這件事的報導。當然，島耕作是虛構作品中的人物，不過，島耕作的存在感強烈到即使身為虛構漫畫主角也能引發現實生活新聞的報導。不同於海螺小姐，他在大家心目中是實際過一年就增加一歲的主角，這在國民漫畫人物中相當罕見。跟島耕作一起超越時代、增長歲數的我，看到他當上社長的新聞，有種無可名狀的喜悅和激動。

島耕作屬於團塊世代[15]，早稻田大學畢業後，一九七〇年進入大企業初芝電器產業。島耕作並沒有什麼特徵，就是個平凡的上班族，但總在千鈞一髮之際解決問題，又有好上司、好部下，困難的企劃案也一個接一個完成，奇蹟式步步高升。若說別人是美國夢，他就是上班族夢的代表。島耕作一畢業就進了初芝電器，從一而終地待在這間公司打拚，然後在今年五月，島耕作當上上班族的頂點——代表取締役社長（總經理），這無異是獻給「上班族殘酷故事」世代的神話故事。

另一方面，考量時下年輕人的喜好，「在一流公司競爭出人頭地」的情節，或許不那麼吸引人。從一流大學畢業後終身效忠於一流企業，然後不管三七二十一奮力工作，期待出人頭地——這其實是上一個世代的風潮，不如說適合的是各位父親那一代，如今已形同講古。其實我也是對這一點心存芥蒂，所以《課長島耕作》連載的當下，我並沒有去讀。

我是一九六三年生，比團塊世代晚相當多。即使如此，還是從小就被灌輸了「從一流大學畢業、終身效忠於一流企業」是最大善行的觀念。那個時代，別說尼特族了，連打工族這個名詞都還不存在，是學歷社會和職銜社會的啟蒙期。

我老爸雖然身為藥劑師，從事開發新藥的工作，不過也算是一種組織內的上班族。老爸搭著搖晃的電車通勤，即使與組織對立，積勞疲憊、牢騷滿腹，他依舊不停工作，終於購置的小小自家房子，就是我們位於關西近郊、開山闢地蓋起

14 取締役相當於中文語境中的「董事」，常務相當於「常務董事」，專務相當於「執行董事」。——譯注

15 團塊世代（団塊の世代）：日本二次大戰後出生的第一代人，在厚生勞動省的定義中指一九四七至一九四九年間出生的人，他們可謂撐起日本經濟起飛的重要支柱。——編注

新興住宅街的家。我自小學高年級就在那邊長大，那個城鎮也不例外，提倡同樣的標語。由於不是從以前就有的城鎮，所以更需要一個精確評定這些外來者的階級和身分的基準，那就是學歷和職銜。在這個沒有歷史的城鎮，人們來自四面八方，大家沒有其他憑藉之物，無論是小孩或他們的父母，一見面就用自己現在和未來的學歷及職銜相互較勁，像撲克牌遊戲「比大小」那樣。

「我是××公司的××。」

「我的第一志願是××大學××系。」

也正因如此，我選擇抗拒。我選擇的世界，是不需要職銜的業界、只問才華的新工作，那就是遊戲的世界。因此，一九八〇年代的我，對《課長島耕作》這個漫畫名完全不感興趣。倒不是討厭弘兼憲史的作品，不但如此，我是弘兼迷，非常愛看《人生交叉點》全套及初期的科幻作品。

那我是怎麼開始看島耕作的呢？起因是我的職場環境產生巨大變化。進公司第七年，一九九三年，公司把一個部門交給我負責，那個小部門稱為開發五部，員工不到十人，也沒業績。我被任命為副部長，當時三十歲。在那個情況下，我一邊創作，一邊經歷了第一次身為組織主管的人事、經營、預算管理等事務。我雖有創作經驗，卻沒有擔任副部長的經驗，一切都是初體驗。在那個節骨眼，我在書店邂逅了《課長島耕作》。職銜雖然不同，規模上副部長和課長卻很接近。沒有商量對象的煩惱、不想讓人察覺的不安，都是《課長島耕作》為我紓解的。「課長島耕作」在背後支撐著夾在組織和第一線之間而孤立無援的菜鳥「副部長小島秀夫」。

我跟島耕作的故事不止於此。島耕作還在課長任內時，我成了某製作部門的部長。之後，他成為宣傳部的「部長島耕作」。一九九六年科樂美成立製作子公司，我升上取締役和副社長後，他則回到總公司，擔任「取締役島耕作」。而他在總公司成為「常務島耕作」之後，我回到科樂美總公司，成為「執行役員」（執行董事）。這樣回顧之下，看起來就像是我跟島耕作一直在同樣的時空下較勁誰先升官。我對島耕作的情感會分外特別，這個巧合也是原因的一環。

島耕作系列的書名一定會在最初點出職銜，不過，島耕作絕對不是以職銜為主題的故事。要說屬於哪類的話，應該可說是一部漫漫長路成長劇，描寫在每一個職銜的戰場（立場與環境）上，島耕作是如何戰鬥過來的。由於書名開頭是職銜，很難避免被視為出人頭地的故事，但重新回頭想想就會明白，其實比起職銜，在選擇工作之際，他更重視自己。

島耕作系列漫畫中，還很年輕的島耕作說過一句話令我無法忘懷。那是在他課長時代的故事，當時，他和作者弘兼一定做夢也想不到，未來他竟然會當上社長。

「比起做討厭的工作往上爬得到權力，我比較想做喜歡的工作像狗一樣認命。」

（摘自 STEP59「EVERYTHING MUST CHANGE」）*

在商務世界裡，第一次見面時常會交換名片，不僅國內如此，海外也一樣。這種情況下，大家會默默將名片上的職銜當作相互信用交易的材料。「××公司的××部長」「一流××企業的××社長」……

我們會有種錯覺，彷彿不管是第一印象或談交易，一切單憑名片上的職銜就能定江山。不過，實際上真是如此嗎？並不是職銜在讓人做事，也不是職銜在創造物品，也不是職銜在提高收益，更不是光憑職銜就能具備超凡的領袖魅力。唯

* 弘兼憲史著，許嘉祥譯。《課長島耕作 20 周年精裝紀念版④》。尖端出版，2017，頁 71。

有當名片職銜後面那個人擁有他個人獨有的才能與魅力，並與職銜相匹配，職銜才會產生意義。島耕作從擔任課長時期，就已經不同於一般課長了。故事中他周遭的人物，刮目相看的對象應該並不是「課長」，而是「身為課長的島耕作」。我們愛的應該也不是「課長」，而是「課長島耕作」。

我小島秀夫也是，我擔任遊戲設計師，但同時也是在企業中工作的一個上班族。當然，也遇過升官或部門異動。目前我是執行董事，會參與公司經營管理，但跟島耕作一樣，也是舊世代的上班族。只不過，正如自己一路走來的心態，今後我也希望自己不是肩負職銜的組織內人士，而是繼續當個「遊戲設計師」。職銜沒有意義，人不是靠職銜獲得評價的，職銜是一種船過水無痕的東西，僅限於一時。它是一種狀態，而非價值。人會有感受、會給予肯定的，並不是組織或職銜。

男人在職場上有比職銜更需要的事物，那就是自己的身分、人生態度、品味、父母給我們取的名字，還有這個名字底下靠自己累積至今的價值。順帶一提，我現在（二〇〇八年當下）的名片上寫著以下字樣：

「科樂美數位娛樂股份有限公司　執行董事　創意總監 小島製作 製作人 小

島秀夫」

不過，我希望自己留在別人記憶中的不是職銜，而是我做了什麼。我想把餘生用在自己的使命，而不是職銜上。

所以在交換名片的時候我會這樣自稱：

「遊戲設計師　小島秀夫」

（二〇〇八年十月）

二〇一一年的孩子們（Star Child）

《二〇〇一太空漫遊》史丹利．庫柏力克／導演

在這不完美的世界，「完美的東西」可能存在嗎？更別說，如果非自然界的創造物，而把範圍限定於人的創作，又如何呢？如果，造物主偶然創造出的人類，在這個世界上做出完美的作品，那麼我們是不是應該視這位創作者為超脫凡世的存在，而讚揚稱頌呢？二〇〇八年的現在，回顧我四十五年的人生，邂逅完美創作的經驗屈指可數。一定要舉例的話，史丹利．庫柏力克導演的電影《二〇〇一太空漫遊》堪稱為代表。

《二〇〇一》上映於一九六八年，是一部無人不知的金字塔頂端傑作，在我心目中也是崇拜至極的生涯精選電影冠軍。以往，我刻意避免在任何媒體上言及《二〇〇一》這部電影，因為《二〇〇一》對我而言意義過於重大，是非常私人的電影。

話雖如此，如果有人不幸沒看過，我希望大家務必觀賞，因為在不知道這部

電影的情況下度日，就像是自願關上了進化的門扉、關上了未來。

我遇見《二〇〇一》的契機，降臨在第一次上映正好十年後的一九七八年，當時我國中三年級。前一年《星際大戰》電影在美國上映，大為轟動，拜其所賜，日本也掀起一陣科幻熱潮。

由於發行延誤，《星際大戰》在日本上映延後長達一年，當時，戒斷症狀壓不下去的科幻迷，只好看其他替代的科幻電影來充飢（例如以《星際大戰》為藍本，結果還更早上映的抄襲電影《從宇宙來的訊息》，還有史蒂芬・史匹柏的《第三類接觸》等）。

未上映先轟動的《星際大戰》，引發了空前的科幻電影狂潮。電視播放科幻特別節目，書店則排滿了網羅過去到現在科幻電影的書籍。

我在偶然的機緣下買到德間書店發行的一本雜誌書，應該也是在這種大環境下的出版品，這本《太空科幻電影書：第三類接觸、星際大戰、2001太空漫遊》（スペース SF 映画の本 未知との遭遇スターウォーズ 2001 年宇宙の旅），這就是一切的開端。我被《星際大戰》報導吸引，反射性買下這本書，書中有《二〇〇一》的特別報導。

"The Dawn of Man"[16]

雜誌書裡的特別報導內容非常扎實，內容架構包括《二〇〇一太空漫遊》的彩色視覺設計、太空船插圖圖解、手塚治蟲和庫柏力克專訪（荻昌弘透過電話採訪）、矢野徹的散文等。我在這時候第一次接觸到《二〇〇一》，留下強烈的印象。立志成為太空人、熱愛硬科幻的我，比起太空歌劇《星際大戰》，自然更受《二〇〇一》的世界觀所吸引。不過，當時我卻沒有機會在電影院看這部片，因為在上映當時和一年後之外，就沒有重映的計畫了，我只能讀亞瑟·C·克拉克的原著（遺憾的是他已於二〇〇八年三月逝世）、聽《二〇〇一》的廣播劇。之後，在《星際大戰》上映的同一年，本片終於重映，我記得是在大阪的OS劇場。幸運的是，我的《二〇〇一》初體驗，是用寬銀幕立體電影看的。之後，每當重新上映，我都會去看大銀幕版的《二〇〇一》。

16 The Dawn of Man 及後文的 Jupiter Mission 與 Jupiter and Beyond the Infinite 均為《二〇〇一太空漫遊》的各幕標題，Intermission 則是幕間畫面。——編注

“Jupiter Mission”

在我心目中，《二〇〇一太空漫遊》不僅是一部電影，更是一種體驗。我沒有宗教信仰，卻在這部片中遇見了宇宙，遇見了關於神的全新概念，也遇見了造物之神。驚人的衝擊和知性的興奮令我顫抖，不管看哪個部分、看幾次、我都無法說服自己這部創作出自人手。它抽象而科學、難解而單純；因為無盡完美，所以每一處都未完成。它是電影，亦非電影。在此前後我都沒有遇過這樣的電影，它是超越電影的存在。這真的是人為創造的作品嗎？為什麼這樣的東西，在那個時代創造得出來？在那之後，一有機會我就會去重看《二〇〇一》，彷彿電影中類人猿觸碰聳立的黑石碑，請求訓示般，但是，至今依舊沒有答案，也不認為找得到答案。不過，我還是想探求、想再度踏上旅程。《二〇〇一》本身就是以銀幕為媒體的全新旅程。

《二〇〇一》是如此完美的電影，只有這部電影，我一直竭力只在完美環境下觀看。當然，我也在電視或錄影帶播放時看過幾次，不過，這部電影還是應該透過大銀幕來體驗。利用 70mm 或寬銀幕電影鏡頭在大銀幕上看，才能充分享受旅程，因此我雖然身為影迷，錄影帶、LD、DVD卻都沒買。不光是因為畫質比較差，《二〇〇一》是神的電影，我不想以一己的方便為基準一下子暫停、一下子快轉、一下子倒轉。

不過，我看到今年夏天華納出了名為白金珍藏的雙光碟特別版本便忍不住買下。畢竟是《二〇〇一》，既然買了，我就克制不住看了幕後花絮和評論音軌。此舉是敗筆，因為幕後花絮出現了各方相關人士，談自己的意見或回答問題，並揭曉製作方式。我不需要故事的解釋，也不需要知道背後的辛酸血淚，我們不需要會講話的黑石碑。我從此將ＤＶＤ封印起來。

“Intermission”

美蘇冷戰結束後，人類從太空探索撤退，至今軌道站及月球基地建設都還沒成功，另外，也還沒能發明像發現號一樣的星際太空船及它所需的人工休眠裝置、或是像HAL 9000一樣有感情的ＡＩ。電影中表現的主題或世界觀，在經過四十年的今天，也毫無褪色。不僅如此，還走在時代的先端。即使運用現在的數位技術或ＶＦＸ（視覺效果），也無法重現那種完成度。《二〇〇一》絕不是一部過時的電影。

二〇〇八年夏天，銀座東劇重新上映了三週《二〇〇一太空漫遊（新世紀特別版）》。二〇〇八年據說適逢上映四十週年（美國首映：一九六八年四月六日／日本首映：一九六八年四月十一日）與庫柏力克誕生八十週年。我在接近上映最後一天的七月十六日設法抽出時間去了東劇，得以觀賞新世紀特別版。不管看再多次都還是很感動。能夠在電影院的銀幕上再次看到《二〇〇一》的這份喜悅，讓我由衷感謝東劇的總經理、以及絕對存在的宇宙之神。這次重看，我有了新的感受：對於我們這些以創作為業的人而言，這部電影正是黑石碑。正如克拉克在一場訪談中所述，當初的黑石碑似乎並不是石板，而是銀幕，據說原本預計要將道具製作方式等影像投影上去。也就是說，企劃當時，黑石碑就是電影本身。看在人類眼裡，擁有高度智能的外星人，無異是超越人的神。宇宙的某處，必定有像神一般的存在，正守護著我們。簡潔歸納起來，《二〇〇一》就是談論這樣的主題。只是對我而言，這部電影本身就是遠遠超前文明的象徵，無異於黑石碑。首映以來，經過四十年，時代產生了相當大的變化，二十一世紀環境破壞嚴重，恐怖分子蔓延。庫柏力克原本預測人類未來會以冷戰對立為契機邁向宇宙，這個想法在某種意義上與現代相距甚遠。只是，即便他沒能預測到現今半導體微型化展現了驚人進展，在這樣進步的時代中，依舊沒有出現任何一部能超越這部電影的完美作品。

“Jupiter and Beyond the Infinite”

無法掙脫具體年代束縛的故事，都會在現實追過那個年代後，無可避免地化為陳腐。跟電腦遊戲相同，生來注定有著悲哀的宿命，就算不是科幻，只要是標榜高科技技術的影像，遑論最佳品嘗期限，有效期限本身就先備受考驗。我在十幾歲時非常熱愛科幻，所以總是像殷切期待生日來臨的孩子，生活中隨時注意科幻作品裡出現的未來年度何時會到來。一九七〇年代後半，我關注的是喬治·歐威爾的《一九八四》，把一九八四年當作最接近的明日之尺。當然，小說中設定的年度來臨後，夢想就成為過往，需要鎖定下一個未來的年度。進入一九九〇年代，這次我重新訂定的下一個到達日目標是約翰·卡本特（John Carpenter）的《紐約大逃亡》設定的一九九七年。然後，現實又追過了虛構，夢想化作過去的形骸。二十一世紀的腳步聲接近，作為下一個關卡，我提出了手上最後一把尺——二〇〇一年。不過，二〇〇一年到來，我才終於領悟到一件事：《二〇〇一》

和其他科幻作品不同，數字上的確被超越了，但這部電影的未來感卻沒有失去價值。

我的生理時鐘停留在二〇〇一年，直到整個時代和我都迎來了真正的「二〇〇一年」為止都會如此。當世界超越完美的「二〇〇一年」時，當我們這些創作者終於能超越《二〇〇一》時，我的生理時鐘必然會重新開始運轉。屆時，或許我們的木星之旅將結束，而開啟無限的新旅程，就像電影最後一幕，戴夫觸碰黑石碑後成為星童（star child）一樣。

在我們眼前，名叫庫柏力克的神設下的黑石碑現在依舊屹立不搖。

（二〇〇八年一二月）

天才妙老爹「這樣就好！」

《天才妙老爹》，赤塚不二夫／著

「太陽從哪邊升起？」小時候，每當有人提出這個問題，我就習慣哼起一首歌的片段：

「西邊升起的太陽／從東邊落下（哎呀糟了！）／這樣就好」

應該很多人都記得，這段歌詞摘自大受歡迎的動畫《天才妙老爹》片頭主題曲（取自動畫第一部，是本作首次製作成電視動畫。播映期間為一九七一年九月二十五日至一九七二年六月二十四日）。

當然，這首歌詞的內容是錯的。在這顆地球上，太陽從東邊升起、西邊落下。只要地球自轉方向不逆行，太陽就不會從西邊出來，在學校自然課應該也學過。如果真的在答案卷寫下這樣的答案，絕對會被叫到老師辦公室去。不過，我在思考「太陽升起的方向」時，一定會背唱這首歌。說來說去，都是因為喜歡這首歌副歌部分「這樣就好！」這強而有力的一句。太陽是形成物理世界核心的絕對象徵，不侷限於太陽系，其他地方也如此。而這樣的太陽，從反方向升上來也沒關係啊！無所謂，這樣就好！這首歌公然肯定錯誤，對我而言，它聽起來就像具備反骨精神的正向搖滾樂。

學習右手是哪一隻手時，大家學到的是「拿筷子的那隻是右手」，而且每個人都被迫反覆複誦這句咒文，直到身體或大腦反射性記住為止。跟這點同理，要記住太陽升起的方向時，我採用的獨創方法，就是回答跟天才妙老爹歌詞「西邊升起的太陽／從東邊落下」相反的答案。不過，我跟這首〈天才妙老爹〉歌詞的緣分並不僅止於此。後來我才發現，這首歌詞的思想，凝縮了原作者赤塚不二夫的哲學和人生觀。

若要我舉出影響我生涯最多的漫畫家，會是石之森章太郎和《天才妙老爹》的赤塚不二夫兩位。石之森作品教了我男子漢的勇氣，赤塚作品則教了我搞笑的品味。我的搞笑師父，除了這位天才漫畫家，不會有別人了。當然，我並不是沒有受到其他人影響，像是卓別林、彼得・謝勒（Peter Sellars）、還有漂流者、松竹新喜劇、吉本新喜劇這些適合茶餘飯後闔家觀賞的搞笑[17]。不過，我的「搞笑」根柢無疑有赤塚不二夫式的無厘頭笑話存在。要說哪裡特別，就是赤塚漫畫跟電影、電視、寄席[18]等搞笑顯然是不同的媒體。漫畫不是劇場型媒體，讀者不像情境喜劇的觀眾那樣，會被氣氛帶動，跟著周遭的人一起笑。漫畫是人沮喪時可以獨自翻著書頁、以自己的步調發笑的媒體。大家一起捧腹大笑也很重要，不過有時候，我們也會需要內省式的笑，來療癒自己的傷。讓人能夠有力氣面對明天的小小笑話、讓人能夠確認自己活著的真實感受，赤塚漫畫就是這種搞笑媒體。

我和赤塚漫畫最初的邂逅，大概是電視播放的《阿松》吧。雖然本作有些受歡迎的人物，例如以招牌動作「些——！」聞名的井矢見還有矮子太等，但可能當時還小，我直到《猛烈阿太郎》才真正感受到赤塚世界魅力。阿太郎有個形同親弟弟的少年「扣桃八（DEKOPPACHI）」，我小時候額頭比一般人醒目，家人都用這個名字喊我，雖然沒有覺得高興，倒也不排斥，畢竟這部漫畫跟動畫都超受歡迎。大概就是從那時候起，一回神，我會隨手在各處畫喵郎目[19]、毛蟲巴

17 原文為「お茶の間系お笑い」。直譯為「客廳系搞笑」。——譯注

18 進行落語、講談、漫才、浪曲、奇術等大眾藝能等演藝的場所。——譯注

19 喵郎目（ニャロメ，讀音 NYAROME）：說人話、嘴巴很壞、愛作劇的貓，名字跟「這個可惡的傢伙（この野郎目，讀音 KONOYAROUME）」諧音。——譯注

斯[20]、應該蛙[21]的插圖。赤塚漫畫的人物，都是用平易近人的畫風畫出特徵，所以小孩也畫得出來。只要是那個時代的小孩，就算沒有繪畫天分，每個人應該都至少畫得出毛蟲巴斯。之後，我升上小學，遇見了《天才妙老爹》。雖然討厭漫畫週刊，不過我會買《少年雜誌》（少年マガジン）來看，理由就像這篇開頭所述，受電視動畫的影響很大。大約是小學三年級左右吧，我徹底迷上《天才妙老爹》，一有機會我就畫天才傻瓜（バカボン）的爸爸，畫在筆記本、教科書、畫紙、日記本、學校的桌子或牆壁上。要畫出爸爸側面跟正面的不同，恐怕連助手都覺得難，但我漸漸畫得出來，不久之後，連閉著眼睛都畫得出來，在這過程中學會的技藝，現在也還留著，我曾經好幾次在自己簽名板一角畫上天才傻瓜的爸爸，總之我想他應該是我人生中描摹最多次的人物了。

不可思議的是，《天才妙老爹》的世界中幾乎不太會出現專有名詞（這是赤塚作品的特徵）。作品人物沒有名字，天才傻瓜的爸爸、天才傻瓜的媽媽、兩眼連在一起的巡警、RERERE 大叔，沒有一個人物有完整姓名，有的只是顯示職業或角色功用的稱呼，充其量就是綽號而已，這一點跟海螺小姐不同。天才妙老爹的爸爸，職業也無法確定，看起來也不像在工作的樣子，恐怕是沒在工作吧（動畫版有時候是植樹工人）。天才妙老爹一家究竟靠什麼維持生計，始終是個謎。沒有主角天才傻瓜上小學的描寫，關鍵的天才傻瓜成績如何不得而知，也沒出現過天才傻瓜的朋友，所以跟哆啦Ａ夢也不同。天才傻瓜既不是鰹魚小弟也不是大雄，在《天才妙老爹》的世界裡，不會出現公司或學校等社會規範。這部作品是屬於無名氏的故事，也沒有特定的舞台，故事不是發生在天才傻瓜家，就是在無名的路邊，劇情內容就是隨處可見的日常，並不特別，描寫的是在不受規範拘束的世界裡，堪稱超現實的非日常之日常。這個世界裡人人都是傻瓜也都是天才，在這個另類世界中，一群異類由於過於純潔、過於不受規則束縛，看起來彷彿耀眼的天才。這部漫畫完全突破框架，脫離了仰仗姓名、家世、學歷、地位等舊有的身分認同。

---

20 毛蟲巴斯（ケムンパス，KEMUNPASU）：個性沉穩、身體會變色的毛蟲。名字來自「毛蟲（毛虫，KEMUSHI）」跟「撒隆巴斯（サロンパス，SARONPASU）」。——譯注

21 應該蛙（べし，BESHI）：同樣個性沉穩，長鬍鬚的青蛙。名字「べし」是「應該」的意思，也是牠的口頭禪。——譯注

《天才妙老爹》這部漫畫無疑對我而言相當震撼，充滿以當時一般觀念無法衡量的無厘頭、以及不曾在電影或小說裡聽過的台詞，那種堪稱嶄新的視角和奇特的思維無法循正常管道學到。對我而言，赤塚漫畫並不是無厘頭（nonsense），而是新感受（new sense），就是從那時起，我開始期許自己當個既是傻瓜，同時又是天才的人。

遺憾的是，在二〇〇八年八月二日，赤塚不二夫以七十二之齡辭世。繼石之森章太郎之後，我的英雄又消失了一位。不過，他產出的無厘頭笑話基因，後世確實繼承下來了，正因為現今大家憂心將面臨前所未有的黑暗未來，他產出的「搞笑」已然不可或缺。

在他過世後，多種書籍和漫畫再版，還發行了特集和雜誌書，電視上也播放了特別節目《這樣就好!!赤塚不二夫傳說》。想必很多人都發現了他在各種機緣下留下無數的作品和名言，每個人多少都再次確認了自己在成長過程中受到那些作品的影響吧。人們可能都重新發現自己也是他的作品的一環（兒女之一）、嘗到彷彿失去親生父親般的深切悲痛。然後，幾乎所有人都會因為那種再也無法復得的失落感，而無法克制、嗚咽成聲吧。

一直以來，我身為一家之主、一個父親、一個人，我都視天才傻瓜的爸爸為目標（這個角色也是赤塚不二夫的分身），今後也不會改變。不過不知不覺中，我的年紀已經超越四十一歲的天才傻瓜爸爸了。只是，到了這個歲數，我還未臻承襲傻瓜名號的境界。為了成為天才，必須當個傻瓜；為了成為傻瓜，只得回歸最真誠赤裸的自我。為了當傻瓜，首先必須當個天才。並不是傻瓜與天才有上下高低之分，而自己在那之間；傻瓜和天才是無優劣之分的，而我想跟他們並肩而列。天才傻瓜爸爸有兩句口頭禪：「贊成的反對」、「反對的贊成」，在不斷反芻這兩個句子當中，我願相信，有那麼一天，我會找到赤塚不二夫留下的這個最大無厘頭哲學的答案。

在天才傻瓜的世界裡，太陽從西邊升起，往東邊落下。

那是對的？還是錯的？是天才？還是傻瓜？抑或是無厘頭？這些早已不重要。

那就是真誠赤裸的我，也是我和赤塚不二夫一起住過的真誠赤裸的地球。

「這樣就好！」

（二〇〇九年二月）

我們打破了會走路的殼
~音樂的解散與行動通訊裝置指引的未來~

WALKMAN（SONY）／iPod（Apple）

假設我提議「從現在開始要請你到一個島上去住幾週」，這時候，如果說可以帶一樣東西去，現在的年輕人會選什麼呢？如果是我們小時候，大概會煩惱很久，最後選一本翻得髒髒的文庫本吧。

一九七〇年代，音樂、電影、電視、電話等都無法隨身攜帶。雖然有文庫本跟小型收音機，人們如果要享受上述嗜好，唯一的手段就是集合在蒐羅了那些設備的基地——家裡的客廳。

在如此背景之下，七〇年代最後的夏天，出現了劃時代的發明。SONY 發售了叫做身歷聲隨身聽的卡帶式隨身播放機「WALKMAN（TPS-L2）」。在岩波文庫登場的五十多年之後，人類終於名副其實成為能將音樂隨身攜帶的「走路的人」。

不過，發售當時，我並沒有被讚頌其偉業的新聞打動。對一個在單親家庭長大的高一少年來說，它的價格高不可攀，我只能充耳不聞。

兩年後的春天，我在教室小睡的時候被同學叫醒。

「小島，你聽聽看這個。」

突然間，一個連著耳機的小盒子遞到我手上。我乖乖戴上耳機，然後我的耳朵，不，我的身體內側聽見了寺尾聰的歌聲。那是《Reflections》專輯的第一首，〈HABANA EXPRESS〉。

「欸！」

我說不出話來。聲音聽起來非常立體，我有種被音樂環繞的感覺。跟固定式立體聲組合音響那種音樂來自單一方向的感覺不同，聲音彷彿從自己內側溢出，音樂甚至渲染進視野般，有種置身於音樂中心的感受。

「這是什麼?!」

我在這時候才第一次知道，這個小盒子就是那個「WALKMAN」。不過以當時的我而言，個人用的音樂播放器是奢侈品，心情並不覺得「好想現在就有一台！」，頂多只能在內心期盼「有朝一日希望能擁有」。

不過，到了翌年，狀況大大轉變，我即將升學到其他府縣的大學。以往我念的學校都在學區內，所以我走路上下學；但去大學則得搭公車或電車，還必須換車，單程就要花兩小時以上。我需要想辦法排遣如此漫長的時間、舒緩耗費在通學上的疲勞和壓力。

一九八二年春天，我獲得了冠冕堂皇的理由，於是意氣風發地買了一台 WALKMAN，是叫做「WM-2」的第二代 WALKMAN，耳機上有橘色的海綿套。

跟許多 WALKMAN 使用者一樣，我也立刻陶醉於隨身帶著音樂走的美好。每天的日常因此化作戲劇、化作電影場景。從電車看出去的風景、理應早已看慣的街道、晨曦或夕陽、低垂的夜幕、人來人往中都會的喧囂紛擾……當這些景色同時配上音樂，一切顯得截然不同。那是一種很不可思議的感覺，它跟音響喇叭播出的音樂是不同的。音樂深深介入我們五官捕捉到的一切，增幅了個人記憶與感情，我曾在車站或街角哭泣，也曾在人行道或階梯上雀躍小跳步。WALKMAN 是專屬於自己的原創原聲帶，為每一天染上戲劇化的色彩。

從此我就一直用 WALKMAN 聽音樂，就算在家，也忍不住聽 WALKMAN。不管要做什麼，都不能缺少只屬於自己的音樂。由於處於 WALKMAN 中毒狀態，我的 WALKMAN 總是被操得很慘，平均每一台都兩年到三年就壞了，這時候就會再買新的 WALKMAN（中間也曾一時變心，買過 AIWA 或 Panasonic 的產品）。每當 WALKMAN 推出新一代，總會追加新功能，例如附加錄音功能、能收聽 FM、自動播放卡帶另一面的音樂等。而且不只是功能，還多了許多顏色供選擇，就像現在的手機一樣，變得更時髦。

不僅是機身，耳機也進化了。原本戴在頭上的耳機，變成能塞進耳朵的大小（耳塞式耳機），開始有遙控功能，有一段期間還演變成無線耳機。

而記錄音樂的載體，也展現了令人目不暇給的變遷。到了八〇年代，發售了不是播放錄音帶，而是可以隨身播放 CD 的「Discman」，接下來九〇年代，「MD WALKMAN」登場，可以播放取代 CD 的資料儲存載體「MD」。

對我來說，WALKMAN 是特別的存在。扶持我半輩子的，是這些歷代 WALKMAN。無論是在失戀、絕望、犯錯、健康出問題、憂鬱、面對離別、做好一死的心理準備、快要屈服於高壓、壓力令人快崩潰、人生幾乎重挫，或是靈感枯竭的時候，在所有情況下，它們都給了我力量。WALKMAN 用它的兩條腿，彷彿依偎著我的半輩子，如同字面上的意義般，伴著我兩人三腳一路走過來。

而在 WALKMAN 發售二十二年後的二〇〇一年十月，再度出現了改變世界的新發明。Apple 公司發售了業界首創的數位音樂播放器——iPod。不同於既往的類比式載體，iPod 內藏硬碟，採用直接將數位數據下載到機體的方式，不再需要錄音帶或 MD 等載體，這是從類比到數位存取的飛躍性革命。轉眼間 iPod 就滲透到全世界，連人類生活習慣都產生了變化。身為類比派，我當時還在摧殘 MD WALKMAN，跟世間相比足足晚了四年，在二〇〇五年，我終於買了 iPod（mini 6GB）。

二〇〇七年聖誕節，我第一次買了 iPod（nano）給兒子。結果衝動購物，順帶買了一台 iPod（classic 120GB）給自己。這成了我目前用的第三代 iPod（第二代是 iPod 5.5GB）。

數位音樂播放器的出現，讓我們能帶著走的不只是音樂。凡是能轉化為數位資訊的一切，現在都能裝進同一個盒子（Pod）裡。原本只為攜帶音樂的專用載體 iPod，也進化成 iPod touch 或 iPhone，如今成為萬能的數位行動裝置。應該也有不少 iPod 使用者用它來攜帶音樂以外的東西。

手機、掌上型遊戲機、行動裝置，這些設備各自從不同出發點擴張功能，不斷進化。目前它們各有各的名稱、分屬不同範疇，不久的未來，所有「可攜式機器」一定會具備同樣的功能。到了那樣的時代，電視、廣播、影片、照片、音樂、網站、數據庫、電話、遊戲……一切都將能夠從自家房間隨身攜帶出來、四處移動。不分國內外，想帶到全世界哪一個角落都可以實現。而且，隨時都能不受任何人干擾、獨自享受。「走路的人」始於解放音樂，經過數位技術，變成能將所有自我都帶著走的「我的家」（Pod）。從相反角度來看，這也等於獲得一副能隨時隨地從社會孤立出來的殼（Pod）。

在此，請回想一下開頭的提議：「從現在開始要請你到一個島上去住幾週。」現在這個問題的答案已經不需再問了吧。那麼，我們試著把指示改為「只有手機（行動裝置）不能帶去」，結果會如何？恐怕現代人絕大多數一定會回答：「不能用手機的話我就不去那座島了。」實在有太多東西變得可以一口氣帶著走了，行動裝置裡塞滿了所有的娛樂、資訊、生活習慣和個人意識。他們將這一切帶在身上四處移動，這行為當中「只選一項必要的東西帶去」這種主動意識是不存在的。我們是否因此忘卻了原本攜帶的喜悅？明明「選擇」應該才是帶著走這件事真正的妙趣所在。放棄選擇而將自己的一切裝進殼裡帶走，也會導致人與社會隔離。這個世界的平衡，原本應該建立在人我不同的取捨之上。

如果有什麼東西是還不能讓人隨身攜帶的，人接下來會想攜帶什麼呢？除現狀之外，我們要再拿出什麼，才能更豐足呢？而那種方便的彼端，會有幸福嗎？

一邊思索這些問題，我一邊將耳機塞進耳朵，今天，我依舊會化作一個「披上自己外殼走路的人」。

（二〇〇九年四月）

回歸太空~從遊戲設計師回歸~

太空

加加林（Yuri Gagarin）在太空中飛翔時，我十二歲，就讀匈牙利東南部久洛哈佐村的學校。村裡的農夫大家都很實際，在他們眼中，那則新聞彷彿超自然現象。不少人根本完全不相信人類能到達離地球那麼遙遠的地方。

——**法爾卡什·拜爾陶隆**（Farkas Bertalan，匈牙利太空人）*

如果一生之中，能有一次實現願望的機會，如果真擁有這樣的魔法，我會毫不猶豫這樣回答：「我想在死前去太空一次。」不奢望那種遊月亮或火星的太空旅行，只要能突破大氣層、輕觸宇宙、繞繞地心軌道，這樣的小旅行就好。而且，如果這個夢想能實現，我願意付出代價，捨棄我身為遊戲設計師這四十五年來建構起的眼前的一切，甚至即使要離開家人或拋下自己的性命也都在所不辭。

* Kelly, Kevin W. 著。《地球／母なる星：宇宙飛行士が見た地球の荘厳と宇宙の神秘》（*The Home Planet*）。小学館，1988。

對我，不，對我們而言，對太空的憧憬就是如此強烈。

為什麼會對太空人如此憧憬？現在憧憬依舊嗎？答案很簡單，因為他們是出類拔萃的英雄，也就是說，所謂的太空人，是果敢挑戰前人未涉足世界的先驅。這些不屈不撓的開拓者，與無人見識過的世界對峙，堅忍通過嚴苛的訓練，將沒有前例的「不可能」一個一個化作可能。他們同時也是億萬中選一的菁英，具備要達成這些任務必需的資質（肉體、智力、精神）。所謂的太空人，並不是一種職業，而是懷抱夢想者的理想樣貌，令每個人都憧憬。

首先，阿波羅十一號登陸月球（一九六九年七月二十日）的衝擊極大。事到如今，我依舊慶幸自己能夠在當下親自和他們共享那一瞬間，它帶給我無可言喻的勇氣及對未來的希望。阿波羅—聯盟測試計劃（一九七五年七月十七日）也在不同意義上令我印象深刻。當時正值冷戰高峰時期，歸屬於西側的我們，主觀認為代表東側的蘇聯都是一些可怕的人。在那個錯誤印象滲透人心的時代，在大西洋高度兩萬公里上空，美國和那些可怕的人的太空船竟然進行了太空對接，而在狹小船艙內，互為假想敵國的他們，卻親密地握了手。我當時緊盯著電視粒子粗糙的影像，覺得自己目擊了科學改變人類偏見、改變時代的瞬間，那比柏林圍牆倒塌時的影像還令人感動。

憧憬太空人的我，在很自然的發展下，成了一個科學宅。每個月都用微薄的零用錢買《Newton》或《OMNI》（日本版）等科學雜誌，名叫《COSMOS》（卡爾・薩根〔Carl Sagan〕主持）和《未知的世界》（知られざる世界）的科學紀實節目、還有頻繁播出的太空探索影像，我毫不遺漏全看了，優先度比我熱愛的電影上映還高。當時，我對數學雖然一竅不通，卻對科學抱持異常的執著，科學雜誌和科學節目，比《PLAYBOY》或《11PM》還令我興奮。我讀遍了對我而言還太艱澀的《Bluebacks[22]》和科學書籍，學校的生物、化學、地球科學課也總是近乎偏執地熱心聽講。這一切，在我心目中都是為了接近太空人，也為了未來人類邁向太空做的準備。

為何我們會在這裡，現在我知道了。並不是為了仔細觀察月亮，而是為了回

---

22 Bluebacks（ブルーバックス）：講談社出版的入門叢書，以一般讀者為對象解說自然科學與科學技術。——譯注

過頭，去看我們的家、我們的地球。

——阿爾弗萊德．沃爾登（Alfred Merrill Worden，美國太空人）*

其實，我在上高中後沒多久就放棄了當太空人的夢想。

日本雖然有名叫宇宙開發事業團（NASDA）的特殊法人組織，但就算以其為志向，也無法得到成為太空人的入場券（之後，NASDA 經過數次火箭發射失敗而進行合併，改名為 JAXA，這個獨立行政法人組織是宇宙航空研究開發機構，但已經放棄送人上太空了）。

當時還在美蘇冷戰中，沒有透過鐵幕另一端的國家成為太空人這個選項，所以要當太空人，剩下的路只有一條，除了進入美國國家航空暨太空總署（NASA），別無他法。問題是我又不是美國人，怎麼可能進入 NASA，也不能更改國籍，所以只好放棄。聽起來很不可思議，不過我下意識地讓自己接受了這麼單純的藉口，像其他人那樣，放棄夢想、成為大人。

話雖如此，我並沒有放棄前往太空，放棄的不過是太空人這個職業而已。上了大學，我還是把立花隆的書《從太空歸來》放在口袋裡，沒有片刻忘懷對太空

＊出處同前。

的憧憬。

就在那時，發生了意料之外的事件。現在談論的人已經不多了，其實最早到太空的日本人並不是現在任職於JAXA的毛利衛，而是前TBS特派員秋山豐寬。

一九九〇年十二月二日，秋山搭上了蘇聯（當時）拜科努爾太空發射場發射的太空船聯盟號，與其說他是第一位日本太空人，不如說他是第一位太空特派員。

「原來如此！居然還有這一招！」

已經正式放棄太空人，進入遊戲業界的我，發現這個NASA沒有介入、靠著TBS資本和俄羅斯技術前往太空的盲點，懊惱得跺腳，妒火中燒。

這時候我突然領悟到，我不是只「想上太空」。我想要的是「接受太空人受的訓練、然後上太空」，我憧憬的是把不可能化作可能的太空人。所以二〇〇八年有位遊戲設計師上太空時我並不驚訝，並不像秋山的時候湧上強烈的嫉妒。第一位上太空的遊戲設計師是以《創世紀》系列著名的世界級遊戲設計師理查·蓋瑞特（Richard Garriott）。據稱他在去年（二〇〇八年）十月，支付了相當於三十億日幣的金額給俄羅斯，從拜科努爾太空發射場前往國際太空站。

我們朝月球出發時是技術人員，回來時成了人道主義者。

——艾德加・迪恩・米切爾（Edgar Dean Mitchell，美國太空人）*

據說二〇〇九年是全球天文年，是伽利略利用天文望遠鏡首次進行天文觀測後正好第四百年，距阿波羅十一號登陸月球表面後則是第四十年。為紀念全球天文年，各地舉辦了各式各樣的活動，以宇宙為題材的電影等也相繼上映。

真希望讓那些不熟悉太空探索的人看一看二〇〇九年在日本上映的紀錄片《月之陰影》及BBC製作的紀錄片《太空競賽》等影片。說來可笑，有些年輕人真的不知道在自己出生前人類就已去過月球表面的事實，我特別想推薦給這樣的人。

我想，看了這些片子，大家就會理解為何我們的世代會憧憬太空或太空人，會明白這些原本不懂的心態。重點倒不是太空有什麼，而是藉由知曉太空人的故事及他們挑戰的姿態，一定能獲得勇氣、一定可以對未來懷抱夢想、一定會對同

* 出處同前。

為人類感到驕傲。「在我們的世界裡沒有不可能！」是的，人類早在四十年前就往返了月球一趟啊。

我們想去太空的理由，不是想體驗無重力狀態，不是想遇見外星生命、不是想在空無一物的漆黑裡感受孤立、不是想感受超乎尋常的危險、也不是想誇耀特殊的經驗。

我們期盼的是了解自己、了解自己的角色，重新檢視自己。

接觸太空的旅程，正是了解自己的旅程。從太空回歸，是朝向地球的回歸，而那也會是從「過去的自己」朝向「未來的自己」的回歸。

某天、在某處，我曾經喜歡的太空……當從那個太空回望孕育我們的地球，我會看到什麼呢？

屆時，我，一個遊戲設計師，將回歸何處？

最初的一兩天，大家都指著自己的國家。第三天、第四天，各自指著自己的大陸。到了第五天，我們心裡想著的只有一整個地球。

——**蘇坦・本・薩勒曼・阿勒沙特**（Sultan bin Salman Al Saud，沙烏地阿拉伯太空人）**

** 出處同前。

（二〇〇九年六月）

本節引文引用自《地球／我們的母星：太空人眼中地球之莊嚴及宇宙之神祕》（地球／母なる星：宇宙飛行士が見た地球の荘厳と宇宙の神秘，小学館）

後記　從MEME到連結之繩（Strand）[1]

二〇一六年六月，我在洛杉磯舉辦的世界最大遊戲展——E3的記者發表會上，發表了《死亡擱淺》的第一波前導預告。距離前一年十二月十六日小島製作公司成立以來，過了半年。

睽違兩年參加E3，在那之間發生的種種掠過我的腦海。

僅僅兩年的空白，感覺上卻彷彿相隔數十年。

我在台上宣告「I'm Back」，從聚集到會場的媒體，到全世界看直播的人，都溫暖地迎接我，那個當下，我便確信自己選擇獨立出來繼續創作遊戲是正確的。

正如本書開頭也提過，我一面找人、技術、場地，也去拜訪主角諾曼・李杜斯（Norman Reedus），邀請他演出，並用大約兩個半月的時間製作出預告片。在E3的三週前，我搬進現在的辦公室。

在這樣的情況下，我們只靠自己走到了發表新作品這一步，講起來大家都覺

---

[1] strand有繩索之意，當作動詞則有擱淺的意思。《死亡擱淺》的英文即為Death Stranding。——譯注

得難以置信。

聽起來或許很矛盾，不過，我們就是因為沒有外包或進行專業分工，才有辦法達成如此進展。

在效率化之名下，製作上外包和分工專精化成了一般現象，不僅好萊塢大規模預算的電影如此，遊戲界也一樣。不過，我無法全面肯定這個方法論。

為何我無法全面肯定，背後的原因源自我那確實而堅定地存在的行事風格：要用自己的眼、腦、身體，去辨別事物的優劣、去抽那一成的「中獎」。這種行事作風儼然已成為我的血肉。

跟每天去書店一樣，我會親自走一趟現場（現在的工作室也如此，我跟員工都在同一個樓層，保持彼此馬上能看到臉的距離）。在問題發生的當下馬上解決、作出適切的指示，正因如此，才能在人數少、時間短的情況下創造出高品質的作品，而這也正是我的信念。

正如在書店現場無法用搜尋功能找出「中獎」的書，創作現場也不可能搜尋到正確答案。正確答案永遠只存在自己內心，所以，只得不斷磨練自己的感性與眼光，來做出正確的判斷。

用ME+ME與世界連結。

在本書的原始版本，我寫下了這句話。MEME經由人與人的連結得以傳承下去。任何人、任何事物，都蘊藏著故事。超越時代與地區、連結ME與ME的系統，就是閱讀故事、談論故事、將故事流傳給其他人的行為。

任何事物、任何人（ME）都蘊藏著故事。這些故事，會因為「閱讀」的時機和狀況不同，而產生不同的解釋。哪些部分要模仿、哪些部分要加以擴展，端視個人。在這些行為的積聚堆疊之下，就會誕生新的MEME。

有些瞬間，多個叫做ME的碎片會化為一體。

有時候，平時並沒有特別留心的事物，會突然產生連結。那些連結看似偶然，實為必然。我將那些連結理解為安排好的邂逅。

這既不是神祕學，也不是神靈附體，而是藉由主動閱讀與邂逅，來吸引、創造連結。我認為要創造新的MEME，背後存在這樣的機制。

例如，前述在E3發表的第一波前導預告，選用了Low Roar的曲子，那次邂逅也是如此。

在《死亡擱淺》這部作品八字都還沒一撇的時候，我因旅遊造訪了冰島。當時搭的計程車，司機先生是號稱「冰島 JOY DIVISION」的樂團 KIMONO 成員。我去了他推薦的唱片行，選了喜歡的 CD，當我準備到收銀台結帳時，店裡播放的曲子引起了我的注意，一問之下，是 Low Roar 的樂曲，於是我也買了那張 CD 帶回日本。

在這個時間點，還完全只是 ME。雖然邂逅了，在我的意識底層進行了催熟，但還沒誕生為新的 MEME。

在思考預告片音樂該如何處理的過程中，驀然浮現的就是 Low Roar 的〈I'll Keep Coming〉。

彷彿從一開始就安排好似的，ME 跟 ME 產生連結，新的 MEME 就此誕生。

由於要發表的是全新作品，以行銷思維而言，或許用更主流的曲子會比較好。不過，那就跟坐在桌前用「新作品 暢銷」的關鍵字搜尋沒有兩樣，這種方法，只找得到已經存在的東西。

不只是音樂，包括諾曼・李杜斯、邁茲・米克森（Mads Mikkelsen）在內，參與《死亡擱淺》的演員們也都如此。我看過他們演出的作品之後變得欣賞他們，因為欣賞，就會想見一面、希望有朝一日能一起工作看看。經過這些過程，等到實際上見了面，一瞬間就會明白，跟他們一定可以有很棒的合作關係。我跟友情演出的電影導演吉勒摩・戴托羅、還有尼古拉斯・溫丁・黑芬（Nicolas Winding Refn）都是這樣邂逅的。黑芬導演本人甚至對我說：「感覺好像和兒時玩伴重逢。」

我想我可以說，支撐我的，就是每天到書店鍛鍊出的那種找到「中獎」書籍的感性，以及「連結要靠自己創造」的那種確信吧。

要創造出暢銷和能讓大眾接受的作品，有一種方法論是基於過去的成功經驗，將暢銷的元素一個個鑲嵌進去，這是一種著眼於市場角度的作法，我並不否定。不過，我不想這樣做，這樣太乏味了。

如果未來的「今天」都跟現在的今天一模一樣的話，那麼根據過去的數據來按照市場觀點製作作品，或許是可行的。不過，明天一定會來臨，不可能適合直接套用過去的作法。昨天的經驗，只不過是選項之一，絕對不是昨天這樣，所以今天一定也如此。

但是，正因為有截至昨天的經驗，我們才有堅定的信心去創造新連結。正因如此，我會讀書、看電影、聽音樂、參觀美術館和博物館，也會去見見其他人。所謂學習歷史、創造未來，不過就是這些行為的累積堆疊。

人的 MEME，單憑模仿過去的 MEME，是無法創造未來的。只考量商業因素的話，模仿或許是安全且低風險的方式。

不過，我們不能沒有 ME+ME 的「＋」，不能不去創造連結。我是這樣想的：人會喜歡上擁有自己欠缺的特質的人。戀愛也如此，能跟人成為朋友的根源也在此。作品也如此。基因相近的生物反覆交配就會失去多樣性，陷入進化的死胡同。同樣地，MEME 若失去新的連結，也一定不會進步。

人的一生中，能邂逅的人數有限，對 MEME 也是，更遑論要抽中那十分之一的「中獎」。不過，只要運用書籍、電影和音樂等載體，就能遇見遠比實際人生所能遇見更多的人，也能得到豐富經驗。

每個人若只擁有從父母身上繼承下來的基因，那麼永遠都不夠完整。在實際人生中，累積經驗、藉由書籍等載體來獲得 MEME，就能成為一個「個體」並持續成長。

在我開始創作遊戲之前，還是個無名小卒的學生時代，當時我靠著享有故事傳遞給我的 MEME 恩惠，才能活下來。當我對自己的未來感到苦惱之際，我可以參考這些故事當作指引，藉由體驗未知的時空來拓展自己的世界，並且淬鍊對事物的看法及感性。

不久，我開始以創作為業，面對故事的立場開始變得不同。連結生成的方式、人去創造連結的方式、「＋」的運用方式以及性質，都產生了變化。不再只從自己的思考脈絡來理解故事，而開始思考透過我的作品這個 MEME 當作媒介，把玩家及世界連結起來。我想讓人往前踏出一步，若有人裹足不前，就推他一把，然後，把世界變得再好一些。占據我心思的事，變成是為了達成這些目標，該如何連結 ME 和 ME，又該如何創造 MEME。

持續從事創作的話，有時會被排山倒海的孤獨感吞噬，有時會受壓力或不安所苦。這時候拯救我們的，會是跟我們有相同意識的人之存在。文字工作者或導演、藝術家這些用創作展現自我的人當然屬於此類，連結 ME 和 ME、試圖創造出 MEME 的人，他們的艱苦奮鬥，也會把我們從孤獨中拯救出來。而將艱苦奮鬥傳達給我們的，也是名為故事的 MEME。

遙遠國度的某個人，創造出這樣了不起的作品，而且還大為暢銷。藉由觀看、閱讀這些作品，我就能覺得自己還可以努力，這些作品給了我前進的動力。

比方說，在還沒有人去過月球的時代，如果你開口說「我會登上月球」，可能會有人全盤否定：「人類怎麼可能去到那種地方。」不過，如果在遙遠國度有某個人實現了，在那個國家，他就成了英雄。

什麼嘛，人類果然能登上月球，不是嗎？只要我們得知這件事，應該就可以不在乎那些否定自己夢想的人、能夠繼續努力。

不但如此，人類自很久很久以前，就編撰出造訪月球的故事，並且流傳至今。正因如此，現在這個故事得以實現。

常有人批判故事及虛構作品是一種逃避現實。不過，虛構作品中蘊含了真實，它足以成為我們超前部署、為匡正現實而戰的手段。

我相信故事（MEME）的力量，它們把人和這個世界變得豐富。所以我想說故事、讓故事流傳下去。我想訴說很多故事，它們會連結人與人、連結世界與時代，它們將化作「創作的基因」，讓我們看見還沒有人體驗過的世界。

我愛的那些MEME想必會將我和「你」以繩（Strand）相繫，創造出新的MEME吧。

懷著這樣的心願，今天我也會走一趟書店，尋找未遇之繩。

二〇一九年七月　小島秀夫

對談　什麼是連結？

星野源×小島秀夫

星野源

一九八一年生於埼玉縣。音樂家、演員、文字工作者。二〇一〇年以第一張專輯《笨蛋之歌》單飛出道。二〇一六年十月發行的單曲〈戀〉，是他本身參與演出的電視劇《月薪嬌妻》主題曲，大受歡迎，蔚為社會現象。二〇一八年十二月五日發行第五張專輯《POP VIRUS》。翌年八月，發行動員三十三萬人次的五大巨蛋巡迴演唱會的影像作品《TOUR "POP VIRUS" at TOKYO DOME》。著作有《而生活依然會繼續下去》（そして生活はつづく）、《工作的男人》（働く男）、《星野源閒聊集1》（星野源雑談集1）、《復活的變態》（蘇える変態）、《從生命的車窗眺望》等。主演電影《武士搬家好吃驚》於二〇一九年八月上映。

小島 我們認識多久了？

星野 最早應該是在二〇一二年雜誌《POPEYE》的連載企劃〈星野源敬畏的十二位日本人〉對談的時候吧（收錄於「Magazine House」出版的《星野源閒聊集1》）。

小島 所以已經七年囉。

星野 七年！竟然那麼久了……。早在接到這個對談計畫邀約前，我正好在家看了很多《潛龍諜影》系列的過場動畫。《潛龍諜影4：愛國者之槍》其中一個場景，BIG BOSS在THE BOSS墓前，反芻她生前說過「尊重他人意志，並相信自己的意志」。遊戲上市是二〇〇八年，小島先生構思這句台詞的時間點應該更早，早於社群網站等普及之前，對吧？但我認為它呈現了現在這個時代最不可或缺的精神。尊重他人意志，同時也等於尊重自己的意志；認同他人的存在，同時也等於認同自己的存在。然而，現在大家都遇上了問題。我在玩遊戲的當下就對這句台詞很感動，不過現在重新體認到，您居然早在十多年前就意識到這種精神、並將它融入故事中。我覺得很少創作者能夠像小島先生一樣，用如此機智瀟灑的方式將訊息帶入作品中，這些點我真的非常喜歡。

還有，我想應該有很多人跟您說過，太喜歡小島先生獨有的幽默感，像是把控制器擺著不動，它就會突然自己震動起來之類的。這一定會笑出來的啊！

小島　那個喔？明明自己設計的，偶爾我也會被嚇到。

星野　有些點子，很容易流於會議中大家相視而笑「這個有趣！」，然後就沒下文了，但小島先生卻會秉持信念將它們帶入遊戲中，送到我們手中，對我們說：「超有趣的吧？」我自己在生活中，總會思考有沒有什麼點子可以運用在音樂或自己的創作表現中，然後跟團隊一起實現，所以，每當在遊戲中觸及小島先生的這些幽默，總是可以再度確信：「為了實現有趣的點子，絕對不能放棄」。

小島　日常隨時隨地都在想點子，其實就等於生活中隨時隨地朝周遭三百六十度伸長感受外在的天線一樣，非常累人。不過原本創作就是要這樣一古腦兒曝曬在周遭五花八門的事物中，然後挑出觸動自己神經的部分，在腦海中不斷反覆琢磨思考，最後設法賦予具體形象，呈現給世界。而做得到的人，就什麼都難不倒他了。日本人似乎傾向於認為將一件事做到極致的人，除了那件事，其他什麼都不會了，其實怎麼可能。眼前的你就是活生生的例子，又創作音樂又演戲，寫起文章也厲害得不得了，讓人很火大就是了（笑）。之所以做得到，就是因為你總是像這樣，平時就不斷讓自己大量接觸各式各樣的事物。最後輸出的是文字，就變成文章；是歌詞或音符的話，就變成音樂；有時候則是演員的演技。

我也是，在四周架起天線，不斷接收各種事物的刺激，在這種情況下創作遊戲已經三十幾年了，對於創作遊戲這件事本身，我已經不覺得辛苦。今年十一月，花了三年半製作的遊戲《死亡擱淺》會發行上市。

星野 三年半……算滿短的吧？

小島 這次，我的第一步是要開設公司，比起製作遊戲，開公司更辛苦。獨立出來，尋找一起製作遊戲的人、找辦公室場地等。首先，從原本的公司辭職之後，就沒有「信用」可言，比方說要為了成立公司而貸款也就變得不容易。不過值得感謝的是，有許多人自稱是我以前製作的遊戲的粉絲，從四面八方料想不到的地方出現，對我們伸出援手。《死亡擱淺》之所以會選用好萊塢演員，也是因為我邂逅了一些喜歡《潛龍諜影》的演員，由此結緣，進一步結識了更多我一直想照自己想法合作看看的演員。我覺得很慶幸，我們對彼此抱持「喜歡」的心情，讓我有機會直接去跟他們見面。

星野　的確，明明一對一直接談，應該都能順利溝通，但如果中間有其他人介入的話，想表達的事也會變得難以表達，總覺得會有各種原委造成阻礙，想表達的事會被稀釋。對小島先生這樣的資深前輩，接下來講的話實在不知天高地厚，不過，我總會從您身上感到共鳴。該怎麼說呢？似乎自然而然，想做的事就會變成世界上的新潮流。

小島　想做的事源源不絕啊，畢竟這個世界的科技不斷進化，完全不用擔心沒有點子。自己人會提出很多異議就是了。明明彼此是夥伴，我打從心裡覺得有趣才進行製作，結果有人會說「這種事沒人嘗試過，一定不會成功的」、「這到底哪裡有趣」，或者直接想阻止我：「這種事辦不到啦。」可是，其實幾乎沒有不可能的事啊。阿波羅計畫成功是五十年前的事了。三位太空人抵達沒有人去過的月球表面，然後返回了耶。聽到這樣的事，不會覺得什麼都辦得到嗎？不過，相反的，如果自己都不覺得有趣，那絕對該馬上煞車。你作曲的時候一定也有這種經驗吧？

星野　有。即使已經完成八成，也會想，這首曲子不要再進行下去了，因為你很清楚，即使做完它也不會有雀躍的感覺。

小島 遊戲這種東西，的確不實際玩玩看，就真的不會知道好不好玩。如果試玩之後覺得不好玩，那麼，究竟是「自己的點子都忠實呈現出來了，結果不好玩」，還是「因為點子沒有呈現出來，所以不好玩」，弄清楚這件事是非常重要的。我在製作《潛龍諜影》的時候，也是先有遊戲概念「逃過敵人追擊的遊戲」，才製作成遊戲試玩。如果不好玩怎麼辦呢？就去評估，是因為「逃過敵人的追擊」這個概念沒有好好融入遊戲中，還是「逃過敵人的追擊」這個行為本身原本就不好玩。如果是後者，當下就不該繼續製作下去了。如果對市場考量什麼的唯命是從，會無法做出就此收兵的判斷，最後就會做出一個平凡無奇、隨處可見的遊戲。

星野 要創作的話，就該當製作人，您在第一次對談中也提過這個觀念對吧。我也是自己親身擔任「星野源」的製作人，不太有機會聽到誰說「這個不好」或是「你該這麼做」。不過，同時，凡事都得自己思考判斷，感覺上像是一直在跟自己打仗。我負責《電影哆啦A夢：大雄的金銀島》主題曲的時候也是，我提議說想要以「哆啦A夢」為歌名來作曲，一定會很有趣的。不出所料，得到的回覆是公司單方面的判斷：「應該是沒辦法。」說是有商標問題啦、原本這就是一部超級鉅作的標題，應該很難吧等等。可是，最近主題曲名已經非常少直接取自動畫標題了，正因為沒人這樣做，我認為正面面對〈哆啦 A 夢〉這種家喻戶曉的大作，會更有意義。而且，我現在並不是以專業創作者的身分專為動畫量身訂做動畫歌曲，而是異業合作連動，在這種情況下做出一首叫做〈哆啦 A 夢〉的歌，不才是最猛的手法嗎？所以，我一再堅持表示：「請幫我問一下是否有機會這麼做。」當然，大前提是對作品致敬，必須懷抱這份心意，而且我對於向藤子製作公司和新銳動畫取得許可一事勢在必得，必須讓團隊感受到我強烈的意欲。一旦真正動起來，大家也從「這樣做會被罵吧？好恐怖」模式，成功轉換到「要是成功了一定很嗨」模式。因為有了大家都共襄盛舉的經驗，才有辦法走到今天這一步。

小島　我覺得你絕對也能來製作遊戲。

星野　我沒辦法啦！（笑）不過，我覺得你應該有辦法製作音樂。

小島　我基本上是什麼都想自己來，音樂其實也想做，可是怎麼也做不出來。覺得有靈感了，哼哼看，以為「喔，我做出來了」，然後就會發現其實是自己聽過的曲子，很洩氣。

星野　怎麼說呢，我覺得小島先生只是還沒開始而已。訂一個期限，就算硬著頭皮也把它做出來公諸於世，然後一切就會開始運作。因為喜歡，所以總希望能做出像樣的東西，這種心情我了解，不過，就算覺得糟，只要還是把它做出來，我想小島先生的作品就足以構成音樂了……。

小島 原來如此。公諸於世這一點或許很重要。《死亡擱淺》是滿創新的遊戲，我很好奇大家會怎麼看待它。比方說單獨爬富士山，爬得千辛萬苦，爬到一半，覺得自己幹嘛做這麼辛苦的事，然後可能就放棄了。不過，如果登頂看到日出，之前的所有辛勞全部都有了意義，會忍不住落淚，對吧？這個遊戲差不多就是這種感覺。沒攻頂就下山的人，是哭不出來的。

星野 不知道會發展成怎樣的遊戲……主題是「連結」，對吧？

小島 這樣講可能有點爆雷。主角山姆．布橋斯（Sam Bridges），在某些行為條件下，可能會遇見一個若不定期送藥給他就會死亡的男人。山姆是送貨員，受其委託，幫忙送藥，所以跟他產生了連結。不過，因為跟故事的主軸無關，有些玩家會不小心忘記送藥給他，就會害他死掉。

星野 欸？哇，居然布下這麼令人牽腸掛肚的機關。

小島　所謂建立連結，也意味著對連結對象肩負起責任。我希望大家可以親身體會選擇切斷還是連上，都取決於自己的那種感覺。

星野　我覺得小島先生的遊戲，很恐怖的就是，不僅限於台詞或故事情節，還會加入要素，讓人思索遊戲中的行為本身，像是《潛龍諜影3食蛇者》裡，要玩家自己決定要不要殺死 THE BOSS 的場景也是。我到現在還歷歷在目，記憶猶新。

小島　我想讓大家體驗只有在遊戲中才能經歷、同時卻是誰也不曾嘗試過的事，不然就失去我製作遊戲的意義了。

在《死亡擱淺》中，雖然不像開放世界線上遊戲那樣，會遇到其他玩家，不過，可以留下東西給會經過同一個場所的人，而且也可以對那個東西按讚。

例如你在遊戲中走過的路留下一個裝置，可以播放音樂。那麼，之後經過那條路的人，雖然遇不到星野源本人，但經過你留下裝置的附近，就可能聽得見那段音樂。至於對方為什麼會留下這個裝置呢？你頂多只能大概猜測「可能他喜歡這首曲子吧」，只能模糊感受對方的意圖，不過，可以確實感受到他人的存在，以及跟自己有所連結。原本應該是孤身走在這條路上的，你卻會被點醒：自己並不是孤獨一人。

現在的世界，已經變成能夠透過社群網站等工具，就能輕易跟人產生連結，但發展出的關係，不過是可以直接對任何人發言而已。有時難免看見有些人，在溝通時，完全沒有對對方運用任何想像力。不同於這種網路上的連結，我想透過《死亡擱淺》表現的連結，是中間夾有緩衝餘地的連結。我希望我創作出的故事，能夠激發玩家對他人存在或意志的想像力。

星野 這一點，正因為是間接的，反而更能夠一直強烈感受到他人的存在或意志，對吧？好像楳圖一雄先生《漂流教室》裡的媽媽（笑）。簡直就是催人「快點來玩」嘛。您在遊戲中設計了可以聽我曲子的地方對吧，真是非常感激。

小島 沒錯。遊戲中有一個場所叫做「私人間」，可以在那裡聽到。希望你一定要玩玩看、體驗一下。這也是少了跟星野源的連結就無法完成的事。我認為創作這件事，就是要基於跟人或作品、歷史等各式各樣事物的連結才辦得到。最後誕生的作品，又會給其他人往前走的力量，世界因此而前進。我希望到死為止，都能夠一直繼續做這樣的事。

（二〇一九年八月）

作品一覽表

書籍

《星辰的繼承者》詹姆斯・P・霍根／著，歸也光／中譯，獨步文化出版

《黑暗，帶我走》丹尼斯・勒翰／著，任慧／中譯，臉譜出版

《珍妮》（Jennie）保羅・葛立軻／著，古澤安二郎／日譯，新潮文庫

《錦繡》宮本輝／著，張秋明／中譯，青空文化

《沙丘之女》安部公房／著，吳季倫／中譯，聯經

《初秋》（Early Autumn）羅勃・布朗・派克／著，菊池光／日譯，早川文庫

《一個都不留》阿嘉莎・克莉絲蒂／著，王麗麗、劉萬永／中譯，遠流

《李陵・山月記 弟子・名人傳》（李陵・山月記 弟子・名人伝）中島敦／著，角川文庫

《阪急電車》有川浩／著，Asma／中譯，時報出版

《音樂盒》（オルゴォル）朱川湊人／著，講談社文庫

《悟》（Satori）唐・溫斯洛／著，黑原敏行／日譯，早川文庫

《寄物櫃的嬰孩》村上龍／著，張致斌、鄭衍偉／中譯，大田出版

《復活之日》（復活の日）小松左京／著，角川文庫

《漂流》（漂流）吉村昭／著，新潮文庫

《撒冷地》史蒂芬・金／著，陳明哲、葉妍伶／中譯，皇冠

《找到了！》（I SPY）系列 沃爾特・威克（Walter Wick）／著，糸井重里／日譯，小學館

《宿星之聲》（星やどりの声）朝井遼／著，角川文庫

《剖開您是我的榮幸》皆川博子／著，王華懋／中譯，圓神

《惡童日記》《二人證據》《第三謊言》雅歌塔・克里斯多夫／著，簡伊玲／中譯，小知堂文化

《眾神的山嶺》夢枕獏／著，張智淵／中譯，木馬文化

《被謀殺的城市》柴納・米耶維／著，林林恩／中譯，木馬文化

《火車》宮部美幸／著，張秋明／中譯，臉譜出版

《劫持波音七四七》盧西恩・拿赫姆／著，聞煒、侯萍／中譯，輕舟出版社

《潛龍諜影：愛國者之槍》（メタルギア ソリッド：ガンズ オブ ザ パトリオット）伊藤計劃／著，角川文庫

《假面騎士一九七一〔彩色完全版〕BOX》（仮面ライダー１９７１《カラー完全版》BOX）石森章太郎／著，復刊.com

《BIG COMIC SPECIAL 楳圖一雄 perfection 八 漂流教室》（BIG COMIC SPECIAL 楳図かずおパーフェクション8漂流教室）楳圖一雄／著，小學館

《海街diary》吉田秋生／著，aitsae、許任駒／中譯，東立

《孤獨》克里斯多福・夏布特／著，劉厚妤／中譯，木馬文化

《神探可倫坡 第三終章》（刑事コロンボ 第三の終章）威廉・林克（William Link）、理查・萊文森（Richard Levinson）／著，野村光由／日譯

《2001夜物語 原型版》星野之宣／著

《社長島耕作》弘兼憲史／著，許嘉祥／中譯，尖端出版

《天才妙老爹》赤塚不二夫／著

電影、電視節目

《死刑台與電梯》路易・馬盧／導演

《北峰》菲利普・史托徹／導演

《計程車司機》馬丁・史柯西斯／導演

《週日洋片劇場四十週年紀念 淀川長治的世界名片解說》（日曜洋画劇場 40 周年記念 淀川長治の名画解説）

《神仙家庭》

《草原上的小木屋》

《蠟筆小新》

《超人力霸王賽文》（ウルトラセブン）

《銀翼殺手》雷利・史考特／導演

《宇宙戰艦大和號》

《二〇〇一太空漫遊》史丹利・庫柏力克／導演

音樂

JOY DIVISION

ART 27

創作的基因：書籍、電影、音樂，賦予遊戲製作人小島秀夫無限創意的文化記憶

創作する遺伝子：僕が愛した MEME たち

作者・小島秀夫｜譯者・李欣怡｜內頁排版・謝青秀｜校對・魏秋綢
責任編輯・楊琇茹｜行銷企畫・陳詩韻｜總編輯・賴淑玲｜社長・郭重興
發行人・曾大福｜出版者・大家／遠足文化事業股份有限公司
發行・遠足文化事業股份有限公司　231 新北市新店區民權路 108-2 號 9 樓
電話・(02)2218-1417　傳真・(02)8667-1065 ｜劃撥帳號・19504465
戶名・遠足文化事業有限公司｜法律顧問・華洋法律事務所　蘇文生律師
ISBN：978-986-5562-89-2（平裝）；9789865562878（PDF）；9789865562885（EPUB）｜定價・420 元｜初版一刷・2023 年 1 月｜初版二刷・2023 年 5 月

本書部分引文承蒙大田出版有限公司、木馬文化事業股份有限公司、城邦文化事業股份有限公司（臉譜出版、尖端出版）、皇冠文化出版有限公司、時報文化出版企業股份有限公司、晨星出版有限公司、圓神出版社有限公司、暖暖書屋文化事業股份有限公司（紅通通文化出版社）、遠流出版事業股份有限公司授權使用，謹申謝忱

SOUSAKUSURU IDENSHI : BOKU GA AISHITA MEME TACHI by KOJIMA Hideo

Original Japanese edition published in 2019 by SHINCHOSHA Publishing Co., Ltd.
Traditional Chinese translation rights arranged with SHINCHOSHA Publishing Co., Ltd. through Bardon Chinese Media Agency, Taipei

國家圖書館出版品預行編目 (CIP) 資料

創作的基因：書籍、電影、音樂，賦予遊戲製作人小島秀夫無限創意的文化記憶 / 小島秀夫著；李欣怡譯 . -- 初版 . -- 新北市：大家出版：遠足文化事業股份有限公司發行 , 2023. 01
面；　公分 . -- (Art；27)
譯自：創作する遺伝子：僕が愛した MEME たち
ISBN 978-986-5562-89-2(平裝)
1. CST: 創造力 2. CST: 書評 3. CST: 文化評論

011.69　　111018373